disfarce

engano

ausência

cancelamento
morte
apagamento

extravio

anulação

indigência

final

desaparecimento

# MAPAS PARA DESAPARECER

contos
NARA VIDAL

© 2020 Nara Vidal

Rodrigo de Faria e Silva • editor
Diogo Medeiros • preparação e revisão
Raquel Matsushita • projeto gráfico e ilustração de capa
Entrelinha Design • diagramação

Dados Internacionais de Catalogação na Publicação (CIP)

Vidal, Nara;
Mapas para desaparecer / Nara Vidal – São Paulo:
Faria e Silva Editora, 2020.
136 p.

ISBN 978-65-991149-9-1

1. Literatura Brasileira    2. Conto brasileiro

CDD B869                                    CDD B869.3

**www.fariaesilva.com.br**
Rua Oliveira Dias, 330
01433-030 São Paulo SP

para Aurora

Certa feita, passava pela cidade de Sidarta um grupo de samanas, ascetas peregrinos, três homens macilentos, extintos, nem velhos nem moços, de ombros sangrentos, cobertos de poeira. Andavam quase nus, tostados pelo sol, cercados pela solidão, estranhos e hostis para com o mundo, forasteiros e magros chacais em pleno território dos homens. Atrás deles fluía, cálida, uma aura de paixão silenciosa, de serviço destruidor, de cruel aniquilamento do próprio eu.

(SIDARTA - HERMAN HESSE)

## FESTA

Eu desdobrei minha orfandade
sobre a mesa, como um mapa.
Desenhei o itinerário
para meu lugar ao vento.
Os que chegam não me encontram.
Os que espero não existem.
E bebi licores furiosos
para transmutar os rostos
em um anjo, em copos vazios.

ALEJANDRA PIZARNIK

**C** ASTANHEIRA

ausência 11

**A** MORTE DO CAIXEIRO VIAJANTE

anulação 31

**C** IPÓ MIL-HOMENS

indigência 43

**R** OSE

fuga 49

**L** UCIANA ESPÍRITO SANTO

cancelamento 54

**O** CASAMENTO DE DANIEL

desaparecimento 65

**C**ARMEN

extravio 72


**N**ÃO FICÇÃO

engano 79


**L**UCIEN ROLAND

apagamento 86


**O** CASAMENTO DE LETÍCIA 106
disfarce


**S**EGURO DE VIDA 118
morte


**M**APAS PARA DESAPARECER 129
final

# CASTANHEIRA

ausência

A
Sim, tem A, um só.
E
Não. Cuidado, mãe, você vai se enforcar. Três chances só.
F, A, um só... Não tem E, não tem M... Preciso pensar com calma, então. Agora a mãe precisa ligar para o vô. Ele teve febre ontem. Guarda o jogo. A gente continua assim que der.

Claro que tem categoria capital. Pega o Atlas e confere que Funafuti existe! Nome não é justo. Se eu quiser dizer que o nome de alguém é Mariola, quem há de contestar? A velha espetou o dedo na roca porque olhava, distraída, a foca. Você é muito ruim de rima, mamãe. Isso não faz sentido. Roca e foca. Por que não se lembrou de porca? A foca é uma porca. Mas isso já beira o absurdo. Uma foca não é uma porca. É sim, se ela não toma banho, é porca. Mas focas vivem molhadas. Não significa que estejam sempre limpas. Podem ser umas porcas. A. Sim, tem A, um só. E, não. Cuidado, mãe, você vai se enforcar. Três chances só. F, A... Não tem E, e não tem M. Preciso pensar. Nesse dia jogávamos o jogo da forca.

Minha filha mais velha tem nove anos e me faz excelente companhia.

Minha filha mais nova tem quatro anos e não sabe ler ainda. Por essa razão ainda não me faz companhia. Quem ainda não sabe ler, se dissolve em possibilidades que nunca se satisfazem. É como um corpo vazio, feito de nada. Uma pessoa que sabe ler tem planetas, mundos, capitais e atlas dentro dela.

A minha filha mais velha não está mais aqui. Ela desapareceu. Não sei para onde foi. Quem está aqui é a minha filha mais nova que tem a idade da mais velha. A mais nova, como a mais velha, tem nove anos. A mais velha ficou com nove anos. Nunca mais fez aniversário. Congelou seus nove anos para sempre. Só me lembro dela até os nove anos. Por isso elas têm a mesma idade.

Minha filha mais velha não morreu. Ela desapareceu, um dia, entre nós da família, voltando da praia.

Amanhã é a festinha de aniversário da mais nova. São seis da manhã e preciso me levantar para fazer brigadeiros. Ficam mais gostosos quando descansam. Já estou acordada há muito tempo. Há cinco anos que estou em estado de alerta esperando minha filha voltar enquanto meu marido dorme aqui ao meu lado. Precisamos nos mudar dessa casa que vem ficando velha, mas não posso porque a mais velha não conhece outro endereço. Não sei se um dia ela retorna. Se isso acontecer, ela não vai saber para onde fomos. Fico aqui até ela voltar ou até eu morrer.

Meu marido se vira, funga, levanta um dos braços, tenta me encontrar. Tiro o braço de mim. Não suporto que me toque, esse peso morto. Não consigo mais olhar nos olhos dele. Não nos separamos por causa das filhas. A mais nova não suportaria. A mais velha, quando voltar, se sentirá confusa. Precisamos manter cada detalhe da vida como era desde o dia em que ela desapareceu atrás da castanheira. Não toquemos em nada, não tiremos um objeto do lugar. Deixemos os corações quietos. Vamos nos congelar e esperar o pesadelo acabar. Não é possível que essa seja a vida daqui em diante. Já são cinco anos que a vida daqui em diante acontece todo dia.

O sono pesado desse homem estranho, que dorme comigo toda noite sem sequer me tocar, não é incomodado quando eu me ergo levemente, torso, quase sentada para tomar coragem de me levantar. Lembrar de pisar com o pé direito para dar sorte. Venho fazendo esse ritual há cinco anos. Levantar com o pé direito porque pode ser hoje o dia que a minha filha mais velha volta. Eu me esqueço do pé direito e passo a pensar no corpo que eu vejo de onde estou. Olho para baixo. É o meu o corpo jogado na cama ao lado do homem que dorme como se não tivesse preocupação. Os peitos amolecidos, flácidos, vazios de vida se esparramam cada um para um lado do meu torso. Uma faixa de gordura salta. Antes, quando eu me deitava, ela não aparecia. Agora aparece mesmo quando o corpo está em descanso na horizontal. Murcho a barriga e vejo os pelos grossos, muitos, secos, ásperos, pretos crescidos e jamais tocados, jamais aparados há pelo menos cinco anos. Um chumaço de descuido, desprezo, desesperança e morte. É um corpo morto. Procuro o coração. Bate. Por pouco, mas bate. Os brigadeiros. Antes que a casa acorde, os brigadeiros, e aí me preocupo com o resto. Uma festa é feita de barulho. Não preciso dar a alegria, só o barulho. Música, o mágico que contratamos, as crianças que gritam. Será uma festa. Saio da cama e me esqueço qual pé pisou primeiro no chão. Talvez eu me esqueça disso diariamente porque até hoje ela não voltou.

Bexiga cheia. Vou ao banheiro. Meu Deus, estou um lixo. Olha para você! Que diabo de mulher você se tornou? Não raspa a buceta, o sovaco, as pernas. Você virou um macaco. Seu marido não te quer. Nenhum homem há de te querer, nunca mais. Você é um fracasso. Que tipo de mãe perde uma filha de vista?

Acabou o papel higiênico. Merda. Balanço a bunda. Espirra gota para todo lado. Da janela, um dia perfeitamente normal com nuvens cinzas, ar pesado. Vivo dentro dessa opressão, nem me dou conta na maioria das vezes. Não lavo as mãos. Piso na ponta dos pés para evitar que o cara deitado na minha cama acorde. Quanto menos convivência tivermos, mais felizes serão os nossos dias. Falo por ele. É lógico que não me suporta. Não sai de casa por pena. Eu parei de trabalhar quando tive minha filha. Ele não me deixa porque não quer pagar pensão. Eu não saio de casa porque não tenho dinheiro, não tenho casa, não tenho emprego, não tenho parente, não tenho mais minha filha, onde está minha filha que sumiu atrás daquela castanheira. Maldito cachorro. Desço as escadas e lá está ele com aquela cara insuportável de vítima. O cachorro é do meu marido, mas eu tomo conta dele. Levo para passear, recolho as merdas que deixa no caminho, dou a comida.

No armário escolho uma xícara para o café. A caneca dos Barbapapas está lá. A vermelha é a dela. A preta é da mais nova que ainda está dormindo. Não verifiquei se está mesmo na cama porque ninguém perde duas filhas de vista numa vida só. Ela está lá, tenho certeza.

Dou ração para o cachorro. Abro a porta do jardim. O frio está congelante. Será que ela passa frio? Já são cinco anos. O suéter que vestia já deve estar pequeno. O cachorro late para o gato que circula no muro. Cachorro idiota. O gato não está nem aí para ele. Ouço passos de elefante. Meu marido desce. Sempre me procura de manhã para um beijo no rosto antes de escovar os dentes. Não liga. Acho que aguento o hálito podre dele. Sinto náusea todas as manhãs, ele nem percebe. Pergunta se dormi bem. Todo santo dia. Sim, dormi, e você? Todo santo dia. Mais ou menos. Tive sonhos estranhos. Todo santo dia. Por favor, não me conte, penso, imploro. Quer torrada? Manteiga, geleia? Passinhos pequenos e leves nos encontram. A filha mais nova, como imaginei, estava lá dormindo na sua cama. Bom dia, filha, dormiu bem? Beija a mamãe, o papai. Amanhã é aniversário de alguém, não sei bem quem. Você sabe? Risos. Não, ninguém se lembra. Tenho certeza de que amanhã alguém faz anos. Quem será? Vou fazer alguns brigadeiros porque vai que me lembro, né? Hoje tem aula. Amanhã é sábado. Hoje ainda é dia útil. Sem qualquer utilidade vai passar o dia sem que tragam minha filha de volta. O que tinha debaixo daquela castanheira? Será que ela foi parar lá, debaixo da terra em algum buraco? Alice no país das maravilhas. Eu gosto de Alice. Meu marido é que não quis. Ainda bem. Pelo menos não se chama Alice. Caiu num buraco, mas não é Alice.

Te amo, mãe. Também, querida. Mal posso esperar pela sua festa amanhã. Vai ser linda! Nove anos! Está uma velha! Rimos todos porque é a etiqueta. Os dois saem, se arrumam para suas vidas. Eu fico. Arrumo o café, a bagunça, a desordem que me persegue. Três pratos e não quatro. Todo dia é isso. Três xícaras. Nunca quatro.

O cachorro fica. Abro a porta de casa inúmeras vezes. Ele nunca vai embora. Já disse que não faço questão da presença dele aqui, mas ele se humilha, se arrasta e fica. Come a comida, vive dentro da casa cujos aquecedores funcionam bem e há pessoas para lhe fazer companhia. O cachorro se parece muito comigo. Também não vou embora porque não tenho para onde ir. Maldito cachorro. Minha filha mais nova se enrolou no rabo dele e caiu. Paramos para cuidar do seu choro. Ralou o joelho, sangue. O céu ficava um cinza de chuva iminente. Ela chorava com a areia que entrava na ferida, gritava. O maldito cachorro já corria a longa distância atrás do marido que já alcançava a porta da nossa Caravan. O local estava vazio de outras famílias que, como a nossa, não tinham dinheiro nem para atravessar o Canal da Mancha para comer um café da manhã continental. Fritamos bacon, comemos torradas com feijão e molho de tomate. Croissant e pain au chocolate só para quem tinha como pegar a barca até Calais. Um dia nós também vamos. Vamos provar o que é manteiga de verdade, aquelas com cristais de sal. Não essa pasta amarela sem gosto que espalhamos na torrada porque está escrito na embalagem que é manteiga, mas não é! Só nós naquele mundo, espaço aberto com uma única castanheira no meio. Ainda assim, perdemos minha filha mais velha de vista. Olhos tentam mirar em outras direções, maldito cachorro! Sangue no joelho ralado. O marido estúpido e grande como o cachorro, não olha para trás. A menina chora de dor. Eu quero gritar, mas não vejo para qual direção. Não vejo ninguém. Não há sombra. Os dois nos esperam chegar na porta da Caravan. A chuva molha tanto quem se diverte, quanto quem acaba de perder uma filha de vista. O espaço está aberto pela angústia e não há esquinas. Não se some num espaço grande desses com apenas uma árvore no meio.

Campainha. Já são nove e meia. Vieram entregar o balão que encomendei para minha filha mais nova. Nove anos. Agora minhas filhas, a mais velha e a mais nova passam a ter a mesma idade. Agradeço a entrega. Bato a porta. Um nove grande e prateado como ela sempre quis! Como será crescer sem uma irmã que se perdeu, mas que não morreu? Coitada da minha filha mais nova. Vai precisar explicar essa tragédia repetidas vezes até já não sentir mais nada. Pode ser que ela tenha que explicar que durante cinco anos a irmã ficou desaparecida, mas que depois ficou tudo bem, ela voltou e ainda nos amava, que sorte! Poderia ter se esquecido da gente ou passado a amar a outra família que a sequestrou. Poderia ter passado a gostar de viver sozinha num buraco que existe debaixo da castanheira. Lá dentro, no profundo do buraco deve ter sonhado, sido feliz porque em cinco anos não é possível ser só triste. A vida deve seguir para quem some e para quem resta. Há de ter sorriso ou até alegria num espaço de cinco anos. É tempo demais para estar morto sem apodrecer.

Subi até o sótão para esconder o balão da minha filha mais nova. Amanhã ela terá a surpresa junto com o bolo que ainda preciso fazer junto com os brigadeiros. Minha respiração ofegante só de subir dois lances de escada é a prova de que o tempo está se acomodando em mim como a poeira da estante de livros do quarto da minha filha mais velha. Há anos vivendo nesta casa ainda bato a cabeça no teto rebaixado do sótão. Sempre, pareço não aprender. A esquina do meu olho encontra a caixa preta de flores douradas e brancas. Nela guardo fotografias da minha filha mais velha. Mas fotografias que ainda não foram tiradas. É uma caixa que vem com um alerta. Não é aconselhável abrir aquilo a qualquer momento. Abro. Lá está ela. Faço colagens com recortes de revista de moda. Seus cabelos castanhos e sempre ondulados são lindos e formo um rosto com pedaços de recortes de várias pessoas até encontrá-la. Nessa foto ela está com treze anos. Um vestido de verão de listras coloridas que apanham sol e vento. O cenário é uma praia. Os cabelos estão presos. No lugar do rosto da modelo, um círculo branco onde colo bocas, sobrancelhas, cílios, narizes. Os narizes são difíceis de achar. Ela tem um nariz muito pequeno e arrebitado. Mas acho que aos treze anos ela seria essa menina aqui. Há também uma belíssima foto dela aos dezesseis anos. Já crescida, forte e atlética, ombros largos, os cabelos ainda mais compridos tocam seus peitos firmes e médios. A boca agora já pode usar batom. Uma boca linda, com lábios carnudos e um batom rosa enfeitam o que será seu rosto no futuro que só eu já conheço.

Não devo me distrair. Preciso começar o bolo. Guardo as colagens, fecho a caixa. Deixo o balão de número nove e vou para a cozinha.

Enquanto desço as escadas, conto suas fotos na parede. Natal, aniversário, férias. As meninas deviam ter seus dois e seis anos, conseguimos juntar dinheiro para uma viagem à Espanha: Benidorm. Hoje o local é um antro para bêbados e noitadas. Mas eu já li em algum lugar que Sylvia Plath passou a lua de mel lá. Como ela se matou e deixou os filhos? Eu acho que antes de me matar, mataria meus filhos. Imagina deixar crescê-los sem mãe. Não. Viriam comigo. Assim estaríamos sempre juntos. Onde está a minha filha mais velha? Será que saiu do país? Talvez esteja na Espanha.

Farinha, ovos, fermento, leite, açúcar, chocolate em pó, jujubas, glacê comprado pronto. Ligo a TV como companhia. Falam de pessoas que lutam contra doenças terminais. Que maldita mania de ficar mostrando a dor dos outros. Parece que dá audiência. A melhor coisa que fizemos foi não ter respondido aos jornais que nos procuravam dia e noite. O paradeiro da minha filha mais velha foi especulado de norte a sul do país. Ninguém levou a sério a ideia de procurar embaixo da terra, debaixo da castanheira. Era o único lugar para onde ela pode ter ido. Troco o canal. Dicas de maquiagem. Talvez eu devesse ouvir sobre as melhores técnicas. Mas não quero chamar atenção do meu marido. Deus me livre ele me ver. Se eu me arrumar vai achar que quero algum contato e eu sei que, no fundo, ele faria sexo por obrigação. Quando ele olha para mim, ele vê a nossa filha que não está aqui. Ele vê um joelho sangrando, uma mãe gritando o nome da filha mais velha, uma mulher aos prantos, um fracasso completo.

A batedeira está quebrada. Vou ter que bater esse bolo no braço. Na mesa do jantar sempre digo que meu sonho é comprar uma dessas batedeiras caras de programa de culinária. A minha seria azul para combinar com os armários da cozinha. O sonho da minha filha mais nova é visitar a Grécia. De onde ela, aos nove anos, tirou essa ideia? O sonho do meu marido é comprar uma Ferrari. Obviamente porque esse é necessariamente o sonho de todo homem que tem o pau pequeno. Quanta previsibilidade. Uma Ferrari. Se ganhasse na loteria poderia até comprar o carro, mas classe não se compra e nem pau grande. Coitado.

Qual seria o sonho da minha filha mais velha? Um gato, um porquinho da Índia, uma viagem para a Argentina? Quem será essa pessoa que saiu daqui há cinco anos?

Aproveitei que estava suada de tanto bater o bolo para me acabar no fogão e encarar a massa fumegante dos brigadeiros. Que chatice fazer brigadeiro. Depois de feito ainda tem a monotonia de enrolar. Por que não se come na colher? É aniversário da minha filhinha. Faço com gosto, repito o mantra a cada minuto. Ela merece, repito também. O cachorro se aproxima. O relógio me diz que é hora da volta dele. Calço a galocha, me enrolo num casaco que me lembra um edredom. Eu me escondo. Ninguém sabe que aquela sou eu. Rezo para o cara do labrador não ir lá hoje. Nem sempre posso ir ao parque mais longe de casa. Esse aqui do lado é o mais conveniente, mas esse cara sempre está querendo puxar conversa, falando de planetas, sistema solar, via láctea. Sinto vontade de me matar cada vez que tenho que sorrir para ele. E como se humilha! Não vê que não me interesso em conversar? Talvez eu seja tão ruim que mereça que coisas ruins me aconteçam. Quem merece perder uma filha de vista? Nem o diabo.

Chove, claro que chove, sempre chove. Pior, chuvisco. O cachorro corre em total desespero no parque, aquele bicho grande e estúpido. Penso no meu marido. As mãos dele me segurando firme para não cavar a terra em volta da castanheira enquanto equipes de TV nos filmavam, registravam meu pranto, desespero. Eu sabia que minha filha mais velha tinha caído num buraco ali. Veja bem: eu me virei dois segundos, talvez um minuto para ver o joelho da menina que sangrava tanto. Não tinha para onde ninguém correr. Era um campo tão vasto, sem qualquer obstrução que não fosse a castanheira. Uma vez, lemos um livro juntas que a ilustração era uma menina lendo um livro sentada num buraco debaixo da terra enraizada de uma árvore. Mais dois buracos formavam a ilustração: uma raposa dormindo e um urso deitado num travesseiro. Não havia interseção dos buracos de forma que estavam todos salvos uns dos outros. Ela não dormia sem travesseiro. E o travesseiro dela ficou aqui. Será que passou a noite em claro? Por que não veio nos achar? Por que me deixa tão preocupada?

Merda de cachorro me molhou a calça toda de barro. Vamos para a casa. Preciso terminar na cozinha, almoçar, buscar minha filha mais nova na escola, fazer dever, dar banho, fazer jantar, esperar o marido chegar, sentar-me com eles, fingir estar ali, falar de sonhos, sorrir, limpar a mesa, guardar os restos de jantar, contar história para a menina, ver o noticiário das dez, escovar os dentes, dizer que minha dor de cabeça não passa, colocar o pijama cheio de buracos, virar para o lado oposto ao do meu marido e evitá-lo a noite toda.

Chego na entrada de casa. O carteiro tinha passado. Havia deixado cartões de aniversário para a minha filha mais nova. A avó e uma tia. Coitada, nunca apareciam. Enfiavam uma nota de dinheiro e lhe desejavam o bem. A mesma coisa elas fizeram com a minha filha mais velha. Nunca nos visitavam. As desculpas eram sempre um exame, o dinheiro curto, a estrada que está sendo reformada. Nunca se interessaram por nós. Quando voltamos da nossa viagem naquele verão, minha filha mais nova ficou com elas uma semana. Não aguentaram. Disseram que a menina uivava de dor a noite toda. Não sei o que era pior: ficar lá incomodando a velha ou ficar comigo que não conseguia mais ser mãe dela. Coitada dessa menina. Não merecia essa tragédia. Agora está aí, boazinha que só. Amanhã é aniversário dela e preciso terminar a comida.

Deixo a galocha cheia de barro na entrada de casa. Tento desagarrar um pedaço grande de grama que arrastei comigo. Na noite que a minha filha desapareceu para debaixo da castanheira, choveu muito. A areia parecia massa de biscoito. O terreno perto da castanheira tinha muito barro. Fiquei parada lá durante muitos minutos. Eu me abaixei, colei o ouvido no solo, não conseguia ouvir nada que não fossem as gotas caindo. Um pedaço de barro ficou pregado no meu rosto quando meu marido veio me buscar. Ele me olhou nos olhos ternamente. Na noite anterior tínhamos feito sexo quietinhos para não acordar as meninas. Sexo silencioso, às escondidas. Consegui até gozar. Ele me olhou e tirou o pedaço de barro com grama da minha cara que tinha os olhos vidrados da loucura na qual eu viveria a partir dali.

O telefone vibrou. O que esse cara quer comigo a essa hora? Oi, tudo bem?

Meu marido me pedindo para não deixar de fazer o bolo hoje porque o plano é acordar a menina com a surpresa do aniversário etc. e tal. Claro que não vou me esquecer. Que inferno você ficar me lembrando de ser mãe diariamente. Alguma vez eu me esqueci de buscar ela na escola? Me esqueci de aniversário? Tá tudo em ordem. Me deixa em paz.

Eu sei o que ele queria debaixo desse disfarce de telefonema, bolo. Queria saber se eu estava viva. Era para verificar que eu estava em casa ao invés de me perder em linhas de ônibus ou fazer planos para me jogar da linha do metrô.

Não sirvo nem para me matar. Ao invés, dou preocupações constantes aos que moram comigo. Minha filha mais nova já se preocupa. Eu já disse que não vou me matar, mas não confiam em mim.

Quando eu escolho uma linha de ônibus para percorrer não é porque quero me matar. Eu preciso é sair de casa. A cara do meu marido me lembra a minha filha perdida. A cara da menina me lembra a minha filha mais velha. As pessoas que moram comigo me infernizam sem dizer uma palavra. Se fosse a existência delas, as manias, os defeitos, mas não é nem isso. Eu olho para esses dois e eles forçam pela minha garganta um choro pesado que me faz viver a falta que faz minha filha mais velha. Eles todos se parecem. São da mesma linhagem. As meninas nunca tiveram nada de mim. Talvez meus olhos parados e arregalados. Meus olhos vivem com esse aspecto de surpresa. Parece que fui pega com um flash que acende sem parar nas minhas pupilas. Isso me dá um ar ingênuo e otimista. Por dentro estou arruinada, não existo mais.

Eu não vou sair para passear de ônibus hoje. Também não vou escrever uma nota suicida e procurar no mapa do metrô a melhor estação para me jogar nos trilhos. Eu não acabo comigo, não por eles, não pelo meu futuro pela frente. Eu me mantenho viva pelo passado. Quando minha filha voltar quero estar aqui, acordada, com os sentidos a postos.

Essa merda desse cachorro sujou o chão todo do corredor até a cozinha. Além de fazer bolo, brigadeiro, o diabo a quatro, tenho que limpar essa porra desse chão com um piso que eu nem quis. Telefone. A mãe de uma amiguinha da menina quer saber que presente ela quer ganhar. (Que tal a irmã dela de volta?)

Que gentileza da sua parte. Não se preocupe. Ela gosta de qualquer coisa, tenho certeza. Neste momento ela está bastante interessada em Lego, colorir, artigos de papelaria em geral. Mas não se preocupe. O que a gente quer mesmo é a presença da Laura. Até amanhã, então. Isso, às três da tarde. Das três às cinco. Isso. Outro.

Gente hipócrita. Ela não quer saber do que a menina gosta. Ela quer competir com a outra mãe porque as duas filhas são loucas pela menina que é, de fato, muito doce, considerando a vida filha da puta que ela tem.

O bolo fica pronto. Tiro uma foto e mando para o meu marido me deixar em paz. Mando também uma imagem da travessa com o brigadeiro esfriando. Talvez isso o ajude a se concentrar no emprego e mantê-lo. Da última vez que ficou sem trabalho minha vida se transformou em um segundo inferno. Como se um inferno extra tivesse chegado num pacote endereçado a mim. Eu ficava na companhia de um estranho o dia todo e passava o tempo inteiro planejando como evitá-lo. Inventei que estava fazendo uma penitência que não me permitia falar ou olhar para ninguém durante todo o horário escolar. Isso durou uma semana. Ele passava por mim no corredor e eu olhava para o chão e estava desculpada. Não precisava responder às perguntas idiotas, comentar passagens vazias sobre o noticiário, o tempo, a flor que demora a abrir, a menina, seu aniversário e a minha filha.


A palavra no jogo da forca era uma, claro.

Final. Sem M, um A só.

Não era FIM porque tem M. Não era AFINAL porque era um A só. Tinha N, tinha A, um só. F todas essas palavras têm.

Fosse AFINAL, ela chegaria em ato derradeiro para fechar a história com o que teria sido um grande susto. Fosse FIM, eu estaria então condenada à morte junto com ela. Saberíamos todos do fim, ouço a tampa do caixão, você? Barulho da pá raspando a terra e o cimento, ouviu?

FINAL. Era FINAL. Palavra que conclui e imediatamente abre para um próximo começo ao mesmo tempo. Final é um fim sem convicção. O final de uma história é a sequência de acontecimentos que se encadeiam para a conclusão. O fim é a porta trancada a chave e jogada fora na chuva de enxurrada que desce para o rio que nunca descansa. Afinal é um alívio como se acordasse de um pesadelo. Ouço um suspiro, você?

A palavra incompleta é FINAL. Quase fim, quase afinal. Final. Minha tragédia incontestável está inacabada. Ela se repete em hipóteses e voltas numa história onde ninguém morre, mas onde também ninguém vive.

# A MORTE DO CAIXEIRO VIAJANTE
#### anulação

Estou em London Bridge. Faz muito frio, são 4:30 da manhã. É novembro. Não há trens às 4:30 da manhã para lugar nenhum numa metrópole como Londres. Fosse São Paulo, Nova York, Tóquio. Será que em Tóquio tudo funciona o tempo todo?

Aqui em London Bridge só bêbados e desavergonhados que recuperam a desonra aos poucos. Eu não estou bêbada, o que é uma pena porque não consigo me convencer de que estar aqui, no frio, por mais uma hora e meia à espera de um trem que me leve de volta para o casulo da decência que é ser mãe, esposa, uma pessoa normal, seja resultado de um ímpeto etílico. Ao contrário: eu já cheguei naquele bar procurando o que achei, e quando cheguei procurando o que achei, eu tinha acabado de sair do teatro onde só tomei uma taça de tinto durante o intervalo.

"A morte de um caixeiro viajante".

Foi um presente de aniversário do meu marido. Ele não gosta de teatro, mas gosta que eu vá. Então, estou sempre sozinha. Não me incomoda porque ninguém conversa durante uma peça, um balé, uma ópera. O depois é que é chato. Todos se encontram naquela alegria, vão jantar, uma bebida, vão falar sobre Arthur Miller. O meu problema é ficar com tudo aquilo preso e não ter com quem trocar uma ideia, mas pelo menos eu sei quem foi Arthur Miller, diferente das amigas que eu tenho na cidadezinha onde moro, não longe de Londres, mas tão longe que eu estar aqui sozinha para ir ao teatro é motivo de conversa fiada. Imaginem se soubessem quem eu fui, o que fiz, a razão de eu estar aqui neste frio em London Bridge esperando o trem. E não se passaram dez minutos ainda.

Estou com fome. Tem um café aberto. Ainda não são 5 da manhã e a comida começa a chegar. Os entregadores de produtos largam pelos balcões, sem o menor cuidado, o que será meu café da manhã. Esparramam pelo chão imundo daquela parte da cidade, batizado pelos crimes de Jack o Estripador, uma caixa com as laranjas do meu suco. Passam de mão em mão tabuleiros de croissants frescos. Alguns caem no chão. Sorte do maltrapilho lá fora que vai ganhar coisa boa, fresquinha, feita há menos de meia hora quando eu ainda estava no táxi voltando de Sidcup.

Logo se forma uma fila e eu estou no meio dela. As pessoas da fila estão bêbadas ou arrependidas. Eu não estou bêbada. Estou com frio, com fome, quero voltar para casa antes que meu marido chegue com os nossos filhos da casa dos avós. Começo a me arrepender e não demora três segundos sou tomada por uma culpa de proporções gigantescas que me dão uma terrível náusea. Finco firme os pés no chão sujo do café porque, apesar da ânsia de vômito, terei fome. Preciso de um café quente. Faz tanto frio e, como sempre, não estou preparada para o ar gelado que eu conheço faz uma vida inteira. Não tenho um cachecol sequer. Ainda saio de casa sem guarda-chuva na bolsa. Ainda.

Na minha frente, um homem que está quase bêbado. Ele tem os cabelos pretos bagunçados, a roupa está desalinhada. Vejo sair do corpo dele, vagarosamente, um vapor que começa a sumir no ar. Respiro o hálito abafado e cansado de um bêbado que ainda não dormiu. Aos poucos o vapor que sai do corpo dele desaparece por completo. Certamente a cerveja quente que ele tomou há poucas horas começa a trocar de lugar com a vergonha de ter que esperar um trem para voltar para casa. Ele olha o celular inúmeras vezes. Voltar para casa é que são elas. Olho para ele com julgamento. Ele vai ter que olhar a mulher, os filhos acordando fresquinhos e descansados numa manhã cheia de promessa, e ele vai ter que dormir. Vai ter que dormir porque não está vivo enquanto não estiver de ressaca. Vai pedir desculpas à mulher pela hora, pela bebida, pela alegria, pela liberdade, pelos amigos que encontrou. Não vai contar que nem pensou nela e que estava muito feliz sem a sua companhia. Vai dormir e a mãe vai cuidar das crianças como não planejou neste sábado, o dia em que o pai costuma levar os filhos para jogar futebol no parquinho da esquina e a mulher fica em casa, vai descansar, ler, silêncio.

Peço um café preto, dois croissants, um suco de laranja. No meio do pedido, troco o suco pelo chocolate. As laranjas rolando no chão imundo me fazem desistir. Faz frio, além do quê. Quem toma suco de laranja com esse frio? Quem quer se refrescar? Quase 5 da manhã. O tempo pinga.

Eu me sento dentro do café. Lá fora algumas mesas com para-sóis, evidentemente vazias. Só uns dois maltrapilhos vagam por ali, mas eles não são ninguém. Um rato tem mais empatia dos outros que esses velhos jovens de cabelos ensebados, fedidos até a alma, vestindo casacos vertiginosamente nauseantes e que se agarram ao primeiro pão que cai acidentalmente da forma. Eles me olham como quem pede resto. Fecho os olhos e, com eles, eu também desapareço. Noto um furo na minha meia calça. Não sei quando isso aconteceu, da meia-calça furar. Será que foi no bar ou já em Sidcup? Pode ter sido no teatro, por que não? Foi no táxi do bar até Sidcup. Refaço, lentamente e com a cabeça em fogo, o percurso. Acho que vou vomitar. Respiro fundo e devagar, tento manter a calma. Respiro. O ar é de diesel, gente de rua fedida, café, croissant, chão sujo e muito frio. A luz do café me dá dor de cabeça. É daquelas que economizam energia e me deixam cega. Tento não pensar no que aconteceu. Preciso tomar esse café, tentar melhorar. Dor de cabeça, vergonha, náusea. Preciso chegar em casa. Vou dormir o sábado todo e quando meu marido chegar com meus filhos no domingo, terão jantar pronto com tudo o que têm direito, vou fazer uma sobremesa gostosa e de noite, vamos comer pipoca e assistir a um filme para toda a família. Vamos ser felizes de novo.

5:10 da manhã. Em cinquenta minutos estarei a caminho da minha linda casa, quentinha, vou tomar banho, jogar fora a meia-calça rasgada, jogar fora toda essa roupa. Levar o casaco para a lavanderia. Nenhum vestígio.

Meu coração pula para fora do meu corpo ao notar o celular vibrando. Alguém me liga. São 5 da manhã. Alguém quer falar comigo. Fecho os olhos para desaparecer. Não sou ninguém, nunca fui, ninguém me nota, o que querem às 5 da manhã? Não adianta, o celular não para de vibrar. Número desconhecido. Atendo. Silêncio. Desligo. Não vou conseguir ser feliz de novo, comer pipoca. Uma pena mesmo eu não ter ido para casa depois da "Morte do caixeiro viajante". Era só pegar o metrô e a essa hora, eu estaria dormindo, sem náusea. Celular toca de novo. Atendo. A voz me diz que ligava para ter certeza de que aquele era mesmo meu número. Não me lembrava de ter dado meu número. Quando eu pedi que ela chamasse um táxi, o motorista precisou do meu número para confirmar onde me buscar. Foi isso. Eu disse o número, mas não notei que ela registrava no telefone dela o meu celular.

Me dei conta de que toda vez que ela me ligasse, eu deveria atender porque na minha caixa de mensagem, a gravação diz meu nome, diz que não posso atender agora e diz para deixar uma mensagem. Era só eu trocar a mensagem, dizer o número do celular em vez do meu nome. Ou, melhor ainda, era só trocar o número do celular e eu me dissiparia no ar feito o suor evaporado do homem de cabelos pretos bagunçados que eu já não via dentro do café.

E por que você quer ter certeza do meu celular, foi a pergunta que eu fiz.

Ela me explicou naquela voz rouca que agora eu reconhecia, que normalmente não deixa estranhos entrarem na casa dela. Se eu tivesse roubado alguma coisa, feito algum estrago, deixado algo para trás, era possível me localizar.

Por favor, não me liga mais. Eu menti. Meu nome não é esse e eu tenho marido, filhos. Por favor, não me liga mais.

Ela me assegurou que também queria se esquecer de tudo, mas era por precaução, a coisa do celular.

Eu acho que o declínio do personagem em "A morte de um caixeiro viajante" é uma poesia.

Pensar no futuro. De hoje em diante, só pensar no futuro. Fazer almoços e sobremesas, escolher filmes, ir nadar com as crianças. A vida é isso.

Faltavam dez minutos para o meu trem. Um aviso me diz que está consideravelmente atrasado. Há manutenção ferroviária. Claro que há, claro que não vai ser fácil chegar em casa. A minha meia está rasgada porque entramos no táxi do bar até Sidcup. Foi dentro do táxi que a meia-calça rasgou.

A voz rouca dela me perguntou antes de a gente pegar o táxi o que eu fazia naquele bar. Eu não sei, sou muito indecisa. Ela riu me dizendo que eu tinha tomado a decisão certa, já que era indecisa. Me apresentou a melhor amiga que me olhou o tempo todo de forma desconfiada. Eu não era tipo para estar ali. A gente ainda teve um breve debate porque ela me julgou, logo ela que tinha que aguentar humilhação desde que nasceu.

Se eu não for embora agora, não consigo pegar o trem e vou ter que esperar até as seis da manhã em algum canto sujo da cidade. Mas ela me chamou para ir para a casa dela, que era mesmo o que eu queria. Até que enfim! Chegava a minha vez de desvendar isso, ver de perto o que eu imaginava. A gente não demorou no táxi e fomos as três para a casa dela. Foi lá que a amiga rasgou minha meia-calça.

Aqui na plataforma, enquanto espero o trem para casa, noto que o furo começa a crescer como se fosse uma gota de sangue se expandindo na neve, maculando tudo por dentro e por fora. O rasgo vai ficando cada vez maior, mais evidente, já não é possível escondê-lo debaixo da saia. Há um fiapo pronto para se dissolver até o tornozelo. Um corte por inteiro no meu corpo todo, o sangue desce, escorre imundo morro abaixo. O declínio do caixeiro viajante.

Quando chegamos na casa dela, me pediram silêncio. Dividia o apartamento em Sidcup com um cara e o seu cachorro, que latiu muito quando nos ouviu chegar. Fomos para o quarto. Elas riram de mim. Eu não tinha ideia do que fazer. Quis ir embora, me vesti. Me prenderam. Queriam me ensinar alguma coisa. Acho que houve violência, sim. Culpa. Claro, a culpa era minha de estar ali. Uma mulher de cinquenta e três anos entra numa casa estranha depois de conhecer duas mulheres num bar em Londres. É o correspondente a pegar carona com desconhecidos quando se tem vinte anos. O que quer que acontecesse comigo naquele apartamento em Sidcup era minha culpa. Acho que gritei, sim. Elas me taparam a boca, o cachorro latia sem parar. Latia de uma forma desesperada como se uivasse. Parado do lado de fora da nossa porta, o cachorro entrava num completo desespero enquanto existia, sim, violência dentro do meu corpo.

Parece que me ensinaram uma lição, foi o que disse a amiga dela. Me soltaram e pedi um táxi até London Bridge, por favor, eu quero ir embora.

O cachorro estava fora de si. Coisa mais estúpida, estou bem, só preciso ir embora daqui. Onde estou? Isso é Sidcup. Se doía tanto, eu devia ter gritado. O cara do cachorro que mora lá, teria vindo ver o que estava acontecendo. Era para eu ter gritado. A boca estava calada.

A boca vai continuar calada. Esquece isso. Pensa no teatro, na peça, o declínio daquele homem. Você está viva, precisa ir para casa.

No táxi de Sidcup até London Bridge, me ocupei de esquecer o que tinha acontecido, culpa minha. É o poema da Kate Tempest, que agora se chama Kae. Não longe de Sidcup, às 4 da manhã, em várias casas da mesma rua, as pessoas acordam e vivem o ápice das suas vidas em problemas e prazeres. Estão acordadas, quem está acordado?

Um milhão de epifanias acontecem em algum canto da cidade, no desfocado atrás das cortinas. E o mundo dentro de cada pessoa. O lixo na ruela está cantando.

Até os erros e os quartos escuros, tudo muito rápido, tudo muito cedo. Muito lento, por muito tempo. Andamos um dia inteiro, mas não saímos do lugar. Tem alguém acordado? Será que vamos ver a luz do dia?

Acho que era isso que dizia a poeta. Me lembro dessas partes meio desconexas. Se encaixam aqui no táxi. Que vergonha.

Estou no trem a caminho da minha casa e vai ficar tudo bem.

No meio do dia, meu marido chega com as crianças. Um dia antes do combinado, estavam entediados. Eu não me livrei da vergonha. A peça foi incrível, obrigada pelo presente. Que presente!

À noite, vou dormir e tentar entrar nos eixos. O celular toca. Número desconhecido. Não é possível. Amanhã mesmo vou fingir que perdi o celular e vou precisar de um novo. O inferno me espera se ela ficar me ligando desse jeito. Insiste, não para de tocar. Não tenho nada para falar, me esqueça, por favor. Não vou à polícia dizer que, sim, teve violência, sim.

O que você quer? Por favor, para de me ligar.

O cachorro latia porque o cara estava morto. Overdose. Teve roubo. Ele estava com alguém. A polícia está aqui e quer ouvir depoimento de todo mundo que esteve aqui em casa. Foi mal, querida, você vai precisar reviver a noite passada.

Sem dormir, Kate Tempest, estou sem dormir. Sim, eu estou acordada, o mundo inteiro em mim. A morte de um caixeiro viajante. O declínio daquele homem. E se eu tivesse voltado para casa sem desviar caminho.

Quando é dia não acordo. Estou de pé. Se eu fechar os olhos despareço junto com todo mundo.

A polícia bateu lá em casa. Não sei como reagiu meu marido, incrédulo, talvez. Não é possível, não eu. Era um equívoco. Eu era uma mulher de cinquenta e poucos anos, não havia qualquer lógica que justificasse tal selvageria de passar a noite com outras duas mulheres. Ele, atônito, posso imaginar. Eu não pude cooperar. Não consigo – por mais que tente – achar o caminho de volta para casa.

# CIPÓ MIL-HOMENS

indigência

Como eu sonhei com esse menino!

Não vou mentir: é ele a razão da minha vida. Já se passaram mais de vinte anos e ainda vejo nele aquele olhar vivo que ele tinha quando nasceu. Esse menino foi um milagre. Quanta criança antes dele tentou vingar e nada. Todo ano era uma enxurrada na hora do banho. Uma bolha de sangue com uma massinha cinza dentro escorregava de dentro de mim e morria. Eu vivia mais morta que qualquer coisa. Morria a criança em mim e depois eu morria mais um pouco, e foi isso durante anos. Não sei o que tinha de errado comigo. Desde os treze que eu rezo para Deus e abro as pernas para os homens, mas nunca vingava. Todo homem que batia aqui na madrugada, eu mandava entrar.

Nunca saí desta casa de beira de rio. Às vezes, alguém diz que fica no meio do nada. Mas, não. Isso aqui é o centro porque eu moro aqui. O nada é longe, onde tem luz demais, gente demais, sujeira demais. Aqui existe o jardim mais bonito do mundo, com muitos canteiros em retângulos de flores vivas, bem adubadas, fortes. São flores robustas que até parecem árvores. As cores têm brilho, têm viço. Na margem o que não falta é cipó mil-homem. A cinco quilômetros da nossa casa tem um posto de gasolina. Não tem um bar, não tem um banheiro, não tem frentista. São duas bombas de combustível. Diesel e gasolina. Vez ou outra vai um rapaz com o caminhão reabastecer e do jeito que vem, vai. Só quem mora aqui no centro do mundo sou eu e o meu filho, a razão da minha vida.

A cidade mais perto daqui leva umas quatro horas para chegar. Eu ainda era menina quando cheguei aqui. A minha mãe contava que nesta curva do mundo, homem nenhum chegava e ela queria mesmo era sossego. Escapou de um tio avô, mas não escapou do bebezinho que ele tinha feito nela. Tomou nojo de tudo que era homem e até rezou quando eu nasci mulher. Eu tinha treze anos quando a mãe morreu. Ela tinha uns vinte e cinco, mais ou menos. A corda do coração arrebentou da noite para o dia. Acordei com o suspiro mais comprido seguido de um gemido rouco e pronto. Juntei os pés da mãe, amarrei com cipó mil-homens e carreguei ela lá para o jardim. Demorei quase um mês para conseguir cavar buraco fundo o suficiente para esconder a cabeleira da mãe, aqueles fios de ovos compridos, cor de sabugo de milho. Depois de colocar ela lá dentro, desenhei um retângulo em volta dela que virou canteiro. Adubei e plantei flor. Nunca vi folhagem mais bonita.

Mas eu vivia sozinha demais sem a mãe. A solidão só me trouxe vontade de arrumar um menino para mim. Quando passava caminhão lá fora e via a vela aqui em casa acesa, parava uma gente desconhecida. Pedia para beber água, pedia para ir ao banheiro e tinha uns homens que pediam para descansar, pediam uma cama para passar a noite. Começaram a chegar com mais frequência e me deixavam dinheiro, comida. Teve um que me trouxe perfume e batom. Eu me banhei naquela água de colônia e pintei a boca só para esperar o homem que veio depois dele. Os caminhoneiros chegavam com vontade no meio das pernas. Não queriam saber nem meu nome, nem com quem eu morava, nem se eu tinha doença. Quando falavam alguma coisa, só queriam saber que diabos uma menina da minha idade fazia no fim do mundo, no meio do nada. Comecei a pedir umas coisas de encomenda e eles passavam os pedidos adiante. Eu já tinha uns catorze anos quando veio um velho pedindo abrigo e me trouxe uma caixa de bombom. Fiquei apaixonada por ele que passou a noite deitado me contando história da cidade dele, da família. Não quis brincar, o velho cansado, queria dormir. Tinha ocasião quando chegavam vários homens juntos. Uns não esperavam a vez e a gente se misturava tudo na cama. Eu pegava gravidez sem parar. Mas do jeito que entrava, saía. Escorria na hora do banho aquela bolinha cinza de sangue. Me dava muita tristeza porque eu queria muito um menino para mim. Foi um milagre quando eu, já com um barrigão pontudo, senti uma dor dessas de abrir o céu em tempestade. Agachei no chão da cozinha e nasceu meu menino. Hoje ele tem quinze anos. Eu devo estar com uns trinta.

Nunca me incomodei muito com as visitas aqui em casa. O Valtinho passou a se acostumar com aquele entra e sai. Tinha homem que passava direto por mim e ia brincar com o menino.

O que eles traziam de presente não é normal. Uma vez, até vestido de festa com renda brilhante eu ganhei. Um dourado que batia mais sol que o rio.

Teve uma época esquisita. Pararam de aparecer as visitas. Em vez de sentir falta dos presentes, eu e Valtinho começamos a nos acostumar e a gostar de ficar só nós dois. Fiquei pensando se o mundo tinha acabado e só essa esquina aqui tinha se salvado. Nem o caminhão para abastecer o posto eu via mais. Foram uns meses assim.

Eu e Valtinho na roça, um rádio tocando nossas músicas, a cama com lençol limpo, uma paz. Isso o Valtinho já estava com seus treze anos. Aí, do nada, começou a parar caminhão de novo. Mas àquela altura, eu e meu menino, a gente já estava tão cansado que queria mesmo era ficar sozinho. Eu, da porta, mandava os homens irem embora, mas cadê que me ouviam? Eles me empurravam para sair da frente e quando eu via já estavam na cama, sem roupa nenhuma e me esperando para brincar com eles. Com o Valtinho, a mesma coisa. Aquilo foi dando uma dor de cabeça na gente... Os homens pareciam surdos. Enquanto não ouviam a gente, eu e Valtinho continuávamos a nossa lida. Umas galinhas e uns porcos que, quando preciso, a gente matava para comer. Valtinho preferia o cipó mil-homens ao facão. Enroscava aquele fio grosso em volta do pescoço do bicho e pronto. Eu achava bom porque era menos sangue para limpar. E os homens continuavam a aparecer, mesmo quando a gente batia a porta na cara deles, eles empurravam pela soleira a chute e entravam. Deitavam na cama e mandavam a gente brincar com eles. Valtinho matava aqueles porcos tão bem que nem os gritos dava para ouvir. Quando a gente sabia que ia passar caminhão, a gente chegava a apagar toda vela de casa para ficar um breu. Era um jeito da gente se esconder daquele monte de homem. Mas não adianta. Valtinho e eu ficávamos quietos e não demorava a gente sentia o cheiro forte deles voltando.

O cipó mil-homens dá muito aqui perto do rio. Tem cheiro forte e serviu para amarrar os pés da minha mãe morta, serve para matar porco, o cipó mil-homens. Valtinho tem muita força naqueles braços. Arranca um fio grosso e enrola em volta do pescoço dos porcos, o cipó mil-homens.

Aos poucos, o monte de homens foi parando de chegar. Agora, só vez ou outra um desavisado bate na porta. O que a gente mais gosta de fazer, eu e Valtinho, é cuidar do nosso jardim onde a mãe está enterrada. Em volta dela, desenhamos vários outros retângulos e agora está cheio de canteiro, adubo bom. Homem nenhum mais aparece e o que não falta é flor bonita.

# ROSE

**fuga**

Minha vizinha da frente há muito tempo tem outro nome. Desde que perdeu o marido e passou a esquecer as coisas, ela sorri, gargalha, se apresenta como Rose. Eu não sei quem ela foi antes de ser Rose.

Quando me mudei para esta rua, ela já era a moradora mais antiga. A casa sempre fechada guardava a Rose, o marido e era só isso o possível de se ver.

Houve uma época em que se via médico entrando e saindo. Teve ambulância. Levaram o Alfredo, marido da Rose, e ele não voltou. Aos poucos, as cortinas começaram a se abrir e eu via de uma estreita greta um gato, uma xícara, um piano. Passei também a ver a Rose dançando.

Com o tempo, além das cortinas, as janelas se abriram. Rose passou a cantar.

Antes de se esquecer de tudo e de perder o marido era tão sisuda, não falava com ninguém.

Mal saía de casa, já entrava de novo com as poucas compras de mercado num pacote de papel. Às vezes tinha um jornal nas mãos, mas nunca tinha bom dia que fosse.

Eu olhava insistentemente para aquela mulher séria que perdeu a alegria de viver em algum lugar e ela passava por mim, mesma calçada, e olhava o chão. Desperdiçava meu sorriso e meu oi sempre pronto para ser usado.

Mas, desde que Alfredo foi embora, pode-se inclusive ouvir a Rose cantando ópera. Às onze da noite, invariavelmente, estou na minha janela recolhendo quem fui para ir dormir. De lá, vejo a Rose se preparando não sei para quê. Através da cortina aberta, eu vejo ela colocar uma camisola, passar talco no rosto, perfume, cantar.

No jardim da frente da sua casa, ela dá comida na boca do gato, sorri para ele. Rose quase não tem dentes, parece um bebê com um rosto redondo, sem ruga de tão velho, avermelhado, alegre. Eu estaciono meu carro antes de tirar minhas compras. Rose fala comigo. Me pergunta sobre a minha avó. Digo que não tenho avó há tanto tempo. Ela insiste. E a vó, como está? Dessa vez eu respondo para a Rose que a vó está bem. Ela quer saber quando ela volta para trazer o cachorrinho. No rosto de criança da Rose, ela espera minhas notícias do cachorrinho. Digo que semana que vem eles voltam. Ela se despede e me pergunta, ainda antes de eu entrar em casa, onde está a minha vó e o cachorro. Dou um adeus e escapo da Rose e dos olhos que não hesitam, me olham fundo como se me desnudassem.

Daqui de casa vi a Rose na chuva, outro dia. Alguém ligou para o filho dela que chegou correndo, assustado. A mãe dançava na chuva com uma sombrinha. Ria e cantava. Foi arrastada para dentro de casa. Pneumonia, mãe, a senhora pega uma doença! Perdeu o juízo?

A Rose era só sorrisos.

O filho, que vem alguns dias na semana cuidar dela, me disse que ela perdeu completamente a competência e virou criança de novo, e que agora, deu para dizer que quer aprender a andar de bicicleta. O filho sente falta do pai que olhava a mulher. Sem Alfredo, a Rose agora ficou assim, insensata, descontrolada, ri de gargalhar, perdeu os modos, começou a tocar piano, coisa que ninguém da rua tinha ouvido antes.

Não faz muito tempo, Rose me contou que não tem mais filhos e que o rapaz que vem visitá-la quer se casar com ela. Ela não pode se casar com o rapaz porque o Alfredo já a pediu em casamento. Ela disse que perdeu os dois filhos num parque. Os meninos adoravam os balanços, o escorregador, o túnel feito de tora de madeira. Mas aí, teve um dia que eles deram as mãozinhas, entraram no túnel e foi o tempo da Rose sair correndo largando as crianças para trás. Os meninos acabavam tirando dela todo o tempo, a liberdade, eram mesmo muito pegajosos. Não conseguia nem tocar uma partitura inteira. Só o Alfredo é que gosta de criança. Quando se casarem, talvez ela tenha filhos de novo, mas por enquanto eles só tiram o prazer dela e que ficou mesmo muito aliviada quando conseguiu escapar naquele dia no parque.

Rose me conta essa história e me olha com aquele profundo das pupilas, o rosto gordo e feliz, corado do ar puro que ela respira desde que Alfredo morreu. Ela ri e me conta que quebrou os dentes que lhe faltam na semana passada enquanto aprendia a andar de bicicleta. A culpa foi do besouro que entrou no capacete e fez ela perder o controle. Caiu, ralou os cotovelos. Sorte não ter quebrado osso. Ela riu me contando que os ossos dela são tão finos como a porcelana que é feita de pó de osso. Quer ver o vaso que eu ganhei da rainha da Prússia?

Antes que eu respondesse, ela começou a cantar e se escondeu atrás da trepadeira de rosas que divide o portão da porta vermelha.

Ela me pede que ajude a tirar a bicicleta da cozinha e levá-la para fora. Quer dar uma volta. Me conta que o filho quer colocar nela uma tornozeleira como fazem com criminosos. Mas ela planeja escapar antes disso. Fala que o menino não a deixa em paz e que vai acabar entrando em outro túnel e deixar ele para trás de novo – não aprendem essas crianças.

Ajudo a Rose a colocar a bicicleta na calçada. Ela sobe e começa a guiar sem qualquer hesitação. Parece que anda de bicicleta há anos.

Daqui da minha janela não vejo a Rose. A placa de vende-se foi arrancada ontem. Mudou-se uma família de quatro pessoas. A trepadeira de rosas da frente da casa está intacta como se ela estivesse lá. Dá umas rosas coradas, de caras gordas e alegres, lisas e sem qualquer ruga ou dobra.

A Rose escapou.

# LUCIANA ESPÍRITO SANTO
### cancelamento

Uma mulher belíssima. "E ainda escreve", dizem os comentários em mais uma foto de perfil trocada em menos de duas semanas.

Luciana é uma escritora. É o que dizem os perfis do Instagram e do Facebook. Não tem Twitter. Luciana quer ser respeitada. Curte as fotos e postagens de todas as pessoas influentes, mas quem curte suas postagens são sempre as tias e primas do interior. Luciana saiu do interior para vencer, não para carregar essa família para todo lado.

O maior problema dela é a falta de credibilidade. Ela se sente ignorada exatamente pelas pessoas que mais respeita. Outro dia, ela postou que operou. Uma apendicite dos diabos. Postou até uma foto deitada na cama do hospital. As únicas pessoas que comentaram foram as tias, os parentes do interior. Vários postaram a frase "Maria passa na frente." "Deus no comando".

Luciana pensou em suspender a conta no Facebook de tanta vergonha daquele pessoal. O que ia pensar a gente importante do meio literário? Há anos ela tentava escrever bem o suficiente para conseguir publicar um livro de graça. Mas, nada. Ganhava elogios, mas nada que prometesse uma mudança profissional. Uma vez, ela ficou toda contente porque ganhou destaque no jornal regional. Tinha foto dela e tudo mais. Um monte de gente, mas um monte mesmo, curtiu a postagem, elogiou, chamou ela de linda. Mas Luciana suspeita que ninguém tenha lido a matéria. Entre os que curtiram a postagem, vários editores e escritores de peso. Tudo para ser estragado com "merecido", "Deus no seu caminho", das duas tias maternas.

Havia três pessoas de quem Luciana tentava, de todo jeito, chamar a atenção. Uma delas era um editor famoso, mas ruim de transa, como ela gostava de dizer. Muito sério, meio sem graça, faltava nele algo de sujo, de sem-vergonha. Tinha uma carinha de bom moço que era difícil engolir. Mas Luciana sabia que ele era Deus e queria demais que ele passasse a prestar atenção nela. Daí, ela começou a compartilhar coisas sérias. Ia no site da Paris Review e da New Yorker e compartilhava matérias dificílimas que ela não lia, só para ver se o bom moço da editora ia lá dar um joinha para ela. Nada. Além de tudo, o cara era pão-duro, racionava curtidas. Como tem gente mesquinha no mundo!

Tinha uma outra figura, um escritor. Luciana sonhava em dar para ele. Tinha uma cara safada e a descrição da feiura. Ainda assim, tinha algo nele que era o oposto do editor certinho. Ela ria sozinha pensando que para o bonitinho não dava, mas com o feio treparia a noite toda, ainda mais por ele ser super influente.

E tinha ainda a senhora com cara de malvada que era dona de revista de muito prestígio. Aquela ignorava mesmo a Luciana. Não adiantava foto dela, do pai e mãe mortos, nada. Nada fazia aquela mulher dar uma curtida nas postagens de Luciana. E lá ia Luciana, sempre dar um like nas postagens dela. Nunca, nada em retorno.

Um dia, o inesperado: Luciana recebeu uma proposta de uma editora, até bem conceituada, para publicar seu livro de contos. Um milagre. Antes mesmo de assinar o contrato, ela foi lá no Facebook e postou que publicaria um livro de contos naquele ano e que, assim que pudesse, contaria qual era a editora, mas que estava feliz ao ponto de saltar e cantar. Muitos marmanjos e algumas mulheres curtiram, com corações, a ingenuidade comovente da moça.

Quando o dia do lançamento do seu primeiro livro veio, Luciana se embonecou como não fazia desde o casamento do melhor amigo no interior. Fez escova, foi ao maquiador, comprou vestido novo, caneta para os autógrafos. Na cidadezinha, ela era uma celebridade. Todas as tias, parentes, antigas professoras, a dona da farmácia, o moço do açougue, todos foram lá prestigiar Luciana Espírito Santo, que saiu numa matéria de página inteira num jornal local e teve até uma notinha no maior jornal do país. Era a glória. Não dormiu antes de compartilhar nas mídias sociais todo o sucesso do lançamento do seu livro. Fila de gente da calçada até a mesa onde Luciana se posicionou com um irmão, para autografar os exemplares. O Facebook de Luciana parecia que ia explodir de tantas curtidas, comentários, parabéns, desejos de sucesso. Com quase duzentas curtidas no seu post e quarenta e seis comentários, Luciana, ainda assim, notou a ausência dos três sujeitos que tentava atrair. Chegou perto: a namorada do escritor feio e o assistente do editor limpinho notaram seu triunfo.

No dia seguinte, ainda com o gosto de sucesso esparramado no café da manhã, Luciana trocou a foto de perfil. A nova imagem tinha sido clicada pelo fotógrafo profissional da cidade, que fez um trabalho magnífico no lançamento, com cenas descontraídas, como se produzidas por um paparazzi, tudo bem natural. Luciana esperou e veio: mais de trezentas curtidas naquela foto de perfil em menos de duas horas.

No fundo, o que Luciana realmente queria saber era se as pessoas gostavam do que ela escrevia, mas isso era um mistério. Só tinha atenção quando saía alguma matéria com sua foto ou quando trocava sua imagem no mural. Luciana teve, então, uma ideia: anotou os nomes das pessoas que mais interagiam com ela nas mídias sociais e foi ofertar seu ebook com a condição de receber uma crítica honesta.

Curiosamente, só havia homens na lista dos mais assíduos.

Luciana começou em ordem alfabética. Tinha grande apreensão quanto ao nome de letra D, Davi Malazarte, um dos críticos e jornalistas do maior jornal do país. Davi estava sempre presente no Facebook de Luciana e, em inbox, no privado, elogiava suas fotos, dizia como era fotogênica, dizia que sorte devia ter o namorado da Lu, dizia que além de talentosa era linda, dizia tantas coisas.

Como Davi Malazarte elogiava o talento de Luciana, ela achou natural questioná-lo sobre o que achou do livro, dos textos. Ficou imensamente surpresa quando ele, perceptivelmente sem graça, admitiu que, com a rotina de levar os filhos na escola, na natação, as demandas da mulher, com quem ele vinha tendo problemas há tanto tempo, acabavam tomando dele todo o tempo para qualquer atividade prazerosa. Nisso, claro, ele incluía ler os textos de Luciana Espírito Santo.

No final daquela tarde, Davi Malazarte, que não tinha tempo a perder, foi direto:

Luciana, que tal irmos comer alguma coisa terça da semana que vem? Você me leva seu livro, a gente se conhece (apesar do quê, tenho a impressão de já te conhecer de longa data, você me parece tão familiar, afetiva, simpática.) e assim, ainda ganho um autógrafo. Depois, você me dá umas semanas para eu ler e te retorno com uma crítica franca. O que acha?

Luciana achou simpático o convite, apesar de soar estranha a ideia de sair numa terça-feira e o pedido dele para ganhar um livro. Por que será que ele não comprava um exemplar? Por que ela tinha que tirar da cota que ela ganhou da editora para dar para um jornalista de cultura que, certamente, se tivesse interesse, já teria comprado o livro?

Combinado, Davi. Que horas e onde? Um beijo.

Luciana passou normalmente o fim de semana. Postagens de opinião nas mídias sociais, particularmente o Facebook. Ela sentia que começava a ter um público cada vez mais atento aos seus gestos. Mas não deixava de postar alguma coisa da Paris Review ou da New Yorker. Passou a olhar também o The Guardian. Esses compartilhamentos não lhe rendiam quase nada, mas ajudavam a construir a imagem de escritora séria, algo pelo qual Luciana Espírito Santo estava desesperada.

Na terça, Luciana foi correr de manhã e, no meio do treino, foi arrebatada por um sentimento confuso. Começou a suspeitar que Davi não se interessava pela sua escrita, mas por ela. Mas, como tinha atenção demais nas redes sociais de todo tipo de homem, talvez, era possível, estivesse vendo chifre em cabeça de cavalo.

Luciana chegou pontualmente no barzinho sugerido por Davi. Quando ela chegou, ele já estava lá: barba, cachecol, óculos, livro nas mãos, uma taça de tinto na mesa. Luciana chegou a achá-lo bonito. Quando viu que ela tinha chegado, Davi se levantou e nos seus olhos Luciana viu uma certa emoção. Ele a olhava toda, como se não acreditasse que ela tinha saído da tela do Facebook e que fosse possível pegar sua mão e dar-lhe um abraço. Sentaram-se, bastante sem jeito, porque já se conheciam sem mesmo se conhecer. Luciana evitou olhares, estava furtiva, tímida. Isso atraiu ainda mais Davi que, abruptamente e sem qualquer rodeio, foi direto ao ponto dizendo que se sentia muito atraído por Luciana, que era casado, mas que não conseguia mais segurar aquela atração, que Luciana era maravilhosa, que ele entendia se ela quisesse ir embora. Mas, pelo menos, ele falou o que não aguentava mais segurar.

Davi Malazarte e Luciana Espírito Santo se beijaram a noite toda. Na hora de ir embora, já no táxi, ela notou que o livro que tinha autografado para ele tinha ficado na sua bolsa. Ele devia ter ficado nervoso e se esqueceu de pedir o exemplar.

Passaram a se encontrar clandestinamente em hotéis e motéis. Davi pedia segredo porque, afinal, não só era casado, mas era jornalista de cultura de muito prestígio, era jurado de prêmio literário, era muitas coisas, o Davi. Davi era também um filho da puta, mas Luciana Espírito Santo ainda não sabia disso, só suspeitava.

Entre sessões de sexo, Luciana perguntava para Davi se ele achava que ela tinha talento. Só de ela abrir a boca para dizer o nome dele, ele já enlouquecia. Claro que ela tinha talento.

Depois de menos de um mês se encontrando, Luciana trocou a foto de perfil. Centenas de curtidas imediatamente. Nessa foto, ela revelava um pedaço do peito, mas tudo muito elegantemente. Davi, na hora, mandou no privado umas indecências.

Naquele dia, Luciana teve a maior surpresa da sua vida.

Depois de fazer uma postagem sobre a defesa dos autores independentes, o editor limpinho, o jornalista feio e a editora malvada da revista literária curtiram seu texto. Luciana esfregava os olhos para ter certeza de que eram eles mesmo. Todos os três muito amigos do Davi. Será que ele tinha comentado alguma coisa? Mas ele mesmo pediu discrição.

Depois daquilo, Luciana Espírito Santo gozou de certo prestígio dentro da sala do Facebook e passou a aparecer mais. Tinha certeza de que o amante estava ajudando em alguma coisa.

Passou a ter tanta intimidade com Davi que, na lata, pediu: faz uma matéria comigo no seu jornal?

Davi não respondeu.

Alguns meses se passaram e sai na imprensa que Davi seria jurado de um importante prêmio literário. Pronto. Estava certo de que, pelo menos na final, o livro de Luciana chegaria.

Quando saiu o resultado, Luciana procurou Davi no seu prédio, onde ele morava com a mulher e os filhos, para tirar satisfações.

Nunca mais se encontraram. Luciana notou que a cada foto de perfil trocada, dez ou doze pessoas deram um like na nova imagem. Notou também que as primas do interior tinham voltado com os comentários de "estrela iluminada", "você é uma deusa", "vencedora", essas irritações que agravavam a preocupação de Luciana.

Seu livro não entrou em nenhuma lista de prêmios. Não teve uma outra vez que o editor limpinho, o escritor feio e a editora malvada da revista literária curtissem um compartilhamento da New Yorker, que fosse. Em conta-gotas, a cada postagem, ia morrendo a Luciana Espírito Santo.

Sexta-feira de manhã ou segunda na hora do almoço são os melhores dias e horários para dar repercussão a alguma postagem. Luciana sabia disso e planejou tudo. Carregando aquele domingo triste nas próprias mãos, deixou agendada a postagem de segunda-feira, às onze da manhã.

Agendou também uma troca de foto de perfil e uma troca de foto de capa. A de perfil era ela de costas, cabelos ao vento. A da capa era um céu azul. A postagem era "queria que me amassem como se eu tivesse morrido."

Todos os jornais nacionais, regionais, locais noticiaram a queda do décimo quarto andar da promessa da literatura Luciana Espírito Santo. Diziam as notas que, como todo gênio, Luciana travava uma luta infindável com a depressão e a bipolaridade. A partir da sua morte, todos passaram a entendê-la, a não rir mais das fotos de perfil, a ler seus livros, a lamentar o corte tão abrupto de um potencial tão grande. "Queria que me amassem como se eu tivesse morrido" não recebeu joinha do editor limpinho, do escritor feio e da editora da revista literária. O "queria que me amassem como se eu tivesse morrido" recebeu dos três um coração. Todos amavam Luciana Espírito Santo, desde que estivesse morta.

# O CASAMENTO DE DANIEL
### desaparecimento

31 de dezembro/ 1º de janeiro

Ele me dá palmadas na bunda. Primeiro de leve, hesita, me olha, tudo bem. Depois com mais força à medida que vai chegando perto do gozo. Peço que me espere para gozar também. Me viro de costas para ele e nos vejo no espelho. Meu rosto está vermelho e meu cabelo sem qualquer ordem. Ele tem olhos desnorteados, uma fome. Ainda estou de costas para ele que agarra meus cabelos e puxa minha cabeça para trás. Eu acho que gosto, mas não tanto quanto da imagem que isso reflete no espelho. Gosto de ver o que ele sente, mas me dói o tapa na bunda, me dói a puxada de cabelo. Estou atuando para o espelho. É narcisista e é bonito, mas vem doendo.

Enquanto finjo um orgasmo, eu me lembro que talvez deva explicar a ele que, apesar dos barulhos e uivos, eu não gosto dos tapas e nem da puxada de cabelo. Preciso tirar o espelho desse canto do quarto, colocá-lo dentro do guarda-roupa ou no corredor. E lá vem ele, desmoronando em cima do meu peito, rendido de tanto prazer. Um gozo que é uma corrida morro abaixo, sem freio, cheio de adrenalina até que bate contra um muro que sou eu e que o recebo com as mãos úmidas e os cabelos embaralhados em um abraço de volta ao normal. A respiração vai se acalmando e ele me olha orgulhoso do que foi capaz de sentir. Tem a convicção de que eu também caí de uma montanha e me despedacei no ato final, uma pequena morte, um nervo exposto. Pronto. Ele me olha, acaricia meu rosto, coloca um pedaço do meu cabelo para trás da minha orelha e me deseja feliz ano novo e me diz que um ano que começa assim só pode dar certo, é sorte. Eu penso que começo o ano fodida, mas prestes a dizer isso, hesito porque a gente não combina no senso de humor. Ele ia achar que eu estava reclamando do sexo, que talvez estivesse fingindo. Aquilo poderia render uma discussão para a qual eu tinha pouca paciência. "Feliz ano novo para você também."

A gente dorme.

Já são umas onze horas da manhã e estou morrendo de ressaca. Começo a duvidar do que aconteceu na noite anterior. A festa na casa da Ana foi ótima. Dancei, bebi, não cheirei, tenho certeza. Voltei com o Daniel para nossa casa e me lembro do táxi. Começo a tentar me lembrar do que aconteceu com a gente. Acordamos sem roupa, nos vejo pelo espelho. Eu bebi demais. Será que deixei ele me bater? Daniel anda louco com esse negócio de me dar tapa enquanto a gente trepa. Acho que eu não gosto, mas é um negócio tão rápido que faz ele tão feliz que não tem qualquer razão para discutir o problema. Eu penso na vizinha de porta que por anos conversou comigo na maior intimidade. Ela sempre me chamava e eu nunca respondia com o nome dela. Na semana antes de ir embora, ela me convidou para sua festa de despedida, que era também festa de aniversário. Ela queria juntar todo mundo para se despedir porque dizia que ia embora, não gostava mais daquela cidade violenta e cara. Eu lá na minha mesa, cartão e caneta na mão sem saber para quem eu deveria desejar feliz aniversário e feliz vida, mudança, sei lá. Fui à festa, levei umas latas de cerveja, flores e pedi desculpas por ter me esquecido de levar um cartão, maior cara de pau. Na madrugada o prédio acordou com a sirene da ambulância, polícia. Marina tinha se jogado do décimo primeiro andar.

O Daniel me bate durante o sexo já há uns quatro anos. Também noto que ele só goza depois de me dar umas palmadas na bunda e que vêm ficando cada vez mais firmes. Há quatro anos isso e há quatro anos que não combinamos o senso de humor. Eu rio de gente que cai, escorrega e cai. Ele me acha infantil. Uma vez a gente brigou feio na rua porque eu me acabei de gargalhar quando vi um garoto enfiar a cara do amigo dentro do sorvete. Meu Deus do céu, aquilo foi cômico! Mas o Daniel me chamou de imatura, ridícula, infantil, triste. Quanto mais ele falava, mais eu ria e ele passou a achar que eu ria dele. Ele também estava engraçado enquanto tentava controlar meu riso. Foi embora e me deixou lá no calçadão rindo sozinha. Quando cheguei em casa ele estava num canto, lendo um livro todo nublado como ele sempre foi. Tinha certeza de que a gente não duraria. Acho que a gente não combina.

Mas isso também foi passando. O nome da Marina, o tapa na bunda e a puxada de cabelo, o senso de humor. Tudo foi passando e a gente já estava acostumado a não combinar. Começamos a amadurecer a ponto de entender que não há amor perfeito e que é normal haver diferença e que essa ideia de ser feliz o tempo todo é só um produto do sistema capitalista. Os adultos e crescidos devem fazer das tripas coração, dar nó em pingo d'água, matar um leão por dia, enfim, viver de sacrifícios e dar graças a Deus pela companhia ali do lado na cama, na mesa do jantar.

(Dez anos depois)

Estamos viajando. Passamos por uma daquelas pontes cheias de cadeados onde as pessoas escrevem seus nomes com corações. Estamos de férias e estou contemplativa. Olho dois nomes presos e pergunto em voz alta se tudo deu certo para eles ou se Marcela e Pedro ainda estão juntos. Daniel me olha com olhos miúdos. Ultimamente tenho visto ele me olhar com raiva, um olhar de saco cheio. Me chama de cínica e começa a andar na minha frente. Torço para que ande rápido e que me perca de vista e que eu possa escapar dele, entrar num bar sozinha, relaxar durante essa viagem forçada, amor marcado no calendário, planejado desde o ano passado onde, segundo a agenda, é obrigatório sermos felizes. Também tenho raiva dele, mas há tanto, tanto tempo que nem sei se faz mais qualquer sentido ele saber.

Meu desejo foi frustrado. Ele me espera na esquina depois da ponte. Vejo a figura dele. Será que é o Daniel? É ele, sim. Cara de quem me detesta, o reconheço. Temos ingressos para visitar um museu. Vamos andando lado a lado sem qualquer afeição. Uma fila enorme e um sol quente. Entramos na fila porque planejamos visitar o tal museu como faz todo mundo há muitos e muitos anos. Na fila, passo a reparar os outros já que Daniel se encolheu dentro da sua ostra e não quer falar comigo. Penso na humilhação que é não sair da fila, mandar que se foda o Daniel, o museu, a ponte de cadeados, os tapas na bunda, as puxadas de cabelo, o cheiro dele que detesto, a forma como ele mastiga, as suas meias baratas, o andar desleixado que ele tem, a mãe dele, as gravatas, as metas que ele tem que bater, os livros de esporte que ele coleciona, os verbos que ele conjuga errado. Penso nisso entre um gole e outro de água e, de repente, somos os primeiros da fila. Será que a fila andou rápido para o Daniel também? Será que ele pensou em como eu me humilho não largando ele, não indo embora do apartamentinho que ainda não quitamos, meu fracasso de freelancer, minha arrogância quando rio dele falando errado, logo ele que paga meu almoço e meu jantar?

Entramos, tiramos fotos com as pinturas famosas e vamos jantar. Durante o jantar ele me conta que está feliz em dividir essa viagem tão sonhada comigo. Sei que quer sexo quando chegar ao hotel porque começou a me tratar bem.

No hotel, a gente transa porque estava no calendário lá marcado. Não se desperdiça uma cama de hotel caro sem sexo, ele me dizia isso e eu achava aquele comentário vulgar. Ele sorri e se aproxima, beija meu rosto, olha meus olhos, eu sorrio e olho para baixo. Ele começa a tirar minha blusa. Eu começo a tirar a roupa dele. Estou seca e estarei seca durante o tempo todo, mas dizer isso agora vai dar problema; melhor continuar. Eu em cima, ele em cima, eu de costas, tapa na bunda, puxa o cabelo, tapa na bunda, puxa o cabelo. Desmorona lá do alto e eu aqui esperando por ele. Continuo seca e ele nem percebeu. Não percebe. Não vou falar, deixa para lá, já acabou. Pronto, cumprido o compromisso da viagem. Agora posso respirar.

(Dez anos depois)

Hoje faz um ano que não fazemos sexo. O último foi em novembro. Tive a esperança de que fosse começar o ano novo fodida como uma vez, depois de voltar da festa de uma amiga. Nada. Fomos jantar com um casal de amigos. O garçom se atrapalhou e deixou cair um copo d'água no chão. Já não acho graça dessas coisas. O Daniel tanto insistiu que acabei me transformando nele. Somos iguaizinhos. Eu aqui, lavando as xícaras do café que tomamos antes de ele ir bater meta, olho através da janela a mesma paisagem e sinto, como sinto ao menos uma vez por ano, uma vontade grande de ir embora. Agora, imagina começar essa conversa com o Daniel?

# CARMEN

### extravio

– Fica, Carmen! Vai ter bolo! Vai ter bolo só por sua causa, fica!

Às sete e vinte da noite, Carmen queria ir para casa. Casa era a Ladeira dos Tabajaras a duas quadras da casa dos patrões, na Santa Clara. A mãe de Carmen não a deixava esquecer da sorte grande que era poder ir andando do morro até o emprego na Zona Sul. Dona Jandira tinha crescido para os lados de Nova Iguaçu e às quatro da manhã começava o trajeto de casa para o trabalho, no Leblon. Fez isso durante mais de quarenta anos. Quantas vezes, no ponto de ônibus, dona Jandira hesitou. Talvez fosse mais feliz se atravessasse a rua e pegasse o ônibus para o sentido contrário. Tinha parentes em Juiz de Fora. Quem sabe um pedacinho de terra onde pudesse ter tempo para verificar se os filhos iam mesmo para a escola quando saíam de casa? Mas todo mês era conta que chegava e dona Jandira nunca atravessava a rua para mudar de ônibus. Ia parar toda manhã no Leblon e toda noite dormia em Nova Iguaçu. Até que pegou uma doença que vinha comendo-a por dentro e ela nem sabia. Acordou um dia para ir trabalhar e, no ponto, antes do motorista abrir a porta, desmaiou. Chamaram uma ambulância e, quatro dias depois, dona Jandira voltou para casa para nunca mais sair de lá. Carmen foi a única filha que ficou com ela e já trabalhava nos Ortega. Conseguiram sair de Nova Iguaçu para ficar mais perto do hospital onde dona Jandira fazia tratamento. Mas os gringos ficam querendo o que é do morro e inflam os preços de tal modo que por pouco Carmen e dona Jandira não conseguiram se mudar. Para dona Jandira, o importante era que a vida ia melhorando a cada geração: Carmen não precisava acordar às 4 da manhã. Acordava às 6:30 e quando dava 7:30 já estava na Santa Clara. Uma benção.

Naquele dia do bolo, Carmen já não aguentava mais olhar na cara da dona Rafaela, os filhos mimados que ela há mais de vinte anos fingia amar, o marido sonso, o seu Roco. Nome esquisitíssimo, mas o homem era filho de uma espanhola chamada Yolanda, vai vendo. Os patrões, que trabalhavam por conta própria numa empresa de marketing, perambulavam o dia todo debaixo do nariz de Carmen. Pediam cafezinho, pediam suco, pediam silêncio. O dia inteiro. Agora, na hora de ela se mandar, lá estavam eles querendo que ela ficasse ainda mais uns minutos. Não ia ter como escapar: celebravam vinte e cinco anos que Carmen servia aqueles lá com toda a sua dedicação. Era da família, naturalmente. Assim como dona Jandira tinha sido da família Martinelli Maia. Laços que duraram até as visitas da madame Luiza ficarem cada vez mais ralas e, feito poeira depois que o sol baixa, a mulher sumiu.

Por um lado, quando Aurora, a do meio, insistiu para que ficasse para o bolo, Carmen suspirou um alívio que não ia ter que comer alguma coisa que ela mesma tivesse feito. Pelo menos não se lembrava de ter assado bolo nenhum naquele dia. Guilherme, o mais velho, que já tinha passado da hora de sair de debaixo das asas da mãe, foi na esquina buscar um bolo chique. Dona Rafaela me avisou que era um bolo de mousse de limão com ganache. Há vinte e cinco anos que ela trabalhava para os Ortega e eles nunca tinham notado que Carmen detestava tudo que fosse gosto de limão. Já estava até vendo que ia ter que comer aquilo forçada para não fazer desfeita. Morta de cansaço, queria ir embora e ia ter que fazer cara de agradecida por estar naquele emprego há tanto tempo.

A data de aniversário do emprego quase coincidia com a data de aniversário de Carmen. Ia fazer quarenta e cinco anos em duas semanas e ainda não tinha trepado na vida. Quando saía para a feira para comprar orgânico, as amigas comentavam das escapadas que davam no quartinho dos fundos com os patrões e Carmen se irritava. Passava noites em claro sem entender o que havia de errado com ela. Era gostosa, tinha todos os dentes, se perfumava diariamente na esperança de ser aquele o dia. A amiga dizia que era porque Carmen era capricórnio, ascendente em virgem, lua em câncer. Era complicada.

Quando acabou a comemoração na casa dos Ortega, Carmen foi embora. Antes, lavou os pratos e garfos do bolo que comeram. Cozinha limpa, agradeceu a gentileza e foi embora. Diariamente, Carmen fazia o mesmo trajeto para casa. Parava num bar de bêbados e miseráveis na Figueiredo de Magalhães do lado do salão de beleza, antes de atravessar a rua para subir o morro. Entrava no bar cheio de homem e pedia um cigarro. Os olhos se esticavam para ela, mas não avançavam. Ela se fazia de mole e fácil, mas nada. Talvez estivessem bêbados demais. Subia o morro bem devagar. Parava numa ponta ainda longe de casa que dava para uma encruzilhada. Ali, passavam carros diferentes todos os dias e traziam de tudo: polícia, burguês, dono de boca, o mundo! Todo mundo avisava que aquela encruzilhada era um perigo. O que já teve de crime ali não está no gibi. Para uma moça, então, pior ainda. Muito estupro, Carmen, muito, quase todo dia. Há mais de vinte anos que Carmen subia, parava, fumava um cigarro e esperava que um homem a mandasse entrar no carro e comesse ela. Passava gente conhecida, passava gente estranha e Carmen continuava virgem. Chegava a sonhar com sensações que não conhecia.

Dona Rafaela pediu, nesse dia, que Carmen ficasse com as crianças, tão adultas quanto ela, até que voltasse para casa com Roco depois de um jantar na casa de uns famosos. O patrão pagaria um táxi ou Carmen poderia dormir no trabalho. Mas com a mãe doente terminal, Carmen não deixava a velha entregue à própria sorte uma noite que fosse. No máximo meia-noite chegariam, assegurou seu Roco. Três e meia da manhã e, bêbados, chegaram os dois. Carmen numa aflição de dar dó. A mãe dela devia estar com fome, sede, precisava tomar os remédios na hora certa. Que merda! No táxi para casa, o motorista avisou que a ladeira não subia. Carmen saltou do carro e correu como se fosse tirar a mãe da forca. Coitada da dona Jandira, presa numa cama, quase sem movimento esperando a morte chegar. Carmen precisava chegar antes. Passou a encruzilhada e, cansada, reduziu o passo. Junto com os tamancos da Carmen, um barulho de chinelo arrastando. Ela olhou para trás e não viu ninguém. Voltou a correr e os chinelos arrastados começaram a andar rápido. Quando se virou, Carmen viu um homem que nunca tinha visto antes. Assobiou para ela e chamou ela de gostosa. Carmen sentiu o sangue ferver e pela primeira vez experimentou o medo.

Pressa. Passos que seguem. Sua espiração. Busca o ar que falta. Anda rápido. Suga o ar que contorna o ar morto em preto e branco. Passos. Pressa. Pedras, escorrega, cai, se levanta. Rápido. Passos largos. Não olha para trás. Olha para trás. Corre. A falta de ar. A casa ainda está longe. É um animal. Vai ser capturado, abutres comem carniça, morte, corre, não tropeça, corre, passos em convulsão, tropeça, pedregulhos grudam no suor das mãos, levanta, respiração ofegante, corre, escapa por entre os dedos, grita, corre mais, um toque, cale-se.

Silêncio.

Silêncio, Carmen.

Silêncio, porra!

No Tibet há o funeral celeste. Os corpos são desmantelados por quebradores de ossos e deixa-

dos no alto de uma montanha para que sejam co-
midos por urubus.

Agora, a Carmen não é mais virgem. O erro
dela foi não se ter feito de difícil. Tivesse corrido
antes, feito um cabrito, um lobo já tinha pegado.
Um abutre já tinha se deliciado com a sua carne.

# NÃO FICÇÃO

engano

Estamos em Moscou há três anos. O que não falta é festa, reunião, evento. Na maioria das vezes, eu sou a mulher do diplomata. Devo ser cordial e neutra. Não há absolutamente nada que devam saber sobre mim. As perguntas nos jantares são, ou sobre o meio ambiente, ou sobre os sacrifícios de mudar de país em país, ou a adaptação dos filhos, ou a nova língua. Nunca é necessário que eu entre em qualquer detalhe sobre quem eu seja.

Os motoristas, as amigas, os empregados, os secretários também mudam a cada distribuição de posto. Tenho muita facilidade para me adaptar. Em cada país encontro uma melhor amiga que é sempre uma mãe da escola que as crianças frequentam. São amizades que duram o período da minha estadia em determinado lugar. Claro, mantemos contato virtual, mas ele, invariavelmente, vai ficando ralo. Isso é muito normal. Não há qualquer drama nessas transições. Quando me casei com o Guilherme, sabia que era para acompanhá-lo.

A primeira vez que nos mudamos em missão diplomática, ele ainda era Primeiro-Secretário. Fomos para Washington. Logo que as crianças começaram a frequentar a pré-escola, fiz amizade com a Helen. Éramos muito parecidas e ficamos inseparáveis. A Helen me ajudava com as crianças quando eu precisava de um tempo só para mim. A ela, só a Helen, contei segredos que nem para o meu marido tive coragem de contar. Saímos uma noite para jantar e exagerei no vinho. Acabei contando para a Helen que, quando criança, sofri abuso e violência sexual pelo meu próprio avô. Choramos juntas, a Helen mesmo muito tocada com aquele vexame todo. Pedi que guardasse segredo porque eu morria de vergonha de ter passado por tanta humilhação. Que ela não pensasse mais naquela cruz que, afinal, era minha e que não se preocupasse porque eu tinha um acompanhamento psiquiátrico no Brasil há muitos anos e que as consultas virtuais eram muito eficazes, sempre me tiravam do buraco.

Quando saímos de Washington, fomos para Lima. Crianças na escola, adaptadas, e eu conheci Lidia. Pela sua personalidade tão solar, logo a apresentei ao meu marido. As crianças brincavam muito bem entre si e nossas famílias tinham muitos interesses em comum. Com Lidia, frequentávamos sua belíssima casa de praia em Máncora nos feriados. Era comum que, debaixo do sol andino, tomássemos parte da sua coleção de sauvignon blanc e eu confidenciasse pequenas notas sobre mim a Lidia. Eu me lembro de, durante um passeio pelos jardins da casa, ter contado a ela sobre a minha belíssima casa de praia no Brasil. Um sonho de lugar que eu adoraria compartilhar com ela, não fosse a irreversível briga de família. Meus pais não falavam com o meu marido que, certa vez, numa discussão, chamou meu pai de alcoólatra. A consequência disso foi eu ser deserdada junto com os meus filhos e não poder mais pisar naquela casa. Lidia morria de pena e passou a confiar em mim uma chave extra da sua propriedade em Máncora. Íamos sempre para lá, mesmo quando Lidia não podia. Pedi que ela guardasse segredo. Aquela conversa tirava meu marido do sério. Uma vez uma amiga comentou sobre o assunto e ele acabou se excedendo e me bateu durante uma madrugada que não acabava nunca. Que se Lidia fosse minha amiga, e amiga do meu marido, que não tocasse nessa questão.

Quando soube, depois de alguns anos, que nos mudaríamos de Lima para Praga, fiquei mesmo feliz. A Lidia andava me sufocando. Sempre tive vontade de morar no Leste Europeu. Parte da minha família era de lá, logo contei para a minha nova melhor amiga. Mas, com as guerras, meus avós abdicaram da nacionalidade europeia e abraçaram o Brasil como uma corda de salvação em cima de um penhasco. Eram judeus. Contei a ela o quanto sofria de ter que me lembrar dessa história. Minha avó atravessou o mar grávida da minha mãe, que nasceu no navio imundo. Uma família com muitas tragédias que se seguiram com a morte de parto da minha mãe quando eu nasci e meu pai que se suicidou alguns meses depois. Fui criada por uma tia que me rejeitava, numa pobreza profunda. Minha sobrevivência foi um milagre. Só fui ter uma família de fato depois de me casar com Guilherme, depois das crianças. Mas era uma história doída e da qual eu não me orgulhava. Confiei tanto na Adéla, que relatei para ela o alívio que foi sair de Lima depois que descobri que Guilherme estava de caso com Lidia, minha melhor amiga. Que Adéla deixasse aquilo entre nós. Era drama demais para ser revisitado, por favor. Nossa saída de Praga coincidiu com a Adéla ficar cada vez mais carente e requisitando cada vez mais minha presença para conversas, desabafos. Fui ficando completamente sem paciência. Foi uma sorte chegar em Angola.

Eu já era uma mulher de meia idade. Aliás, passada da meia idade, porque eu nunca que viveria cem anos. A Maria Isabel trabalhava no escritório do Guilherme. Fiz amizade com ela, que passou a frequentar minha casa aos sábados. Saíamos juntas para compras, chás, teatro. Foi Maria Isabel quem soube sobre o câncer que eu tive, sobre o aborto natural repetidas vezes, o problema de impotência do Guilherme que é uma forma de castigo depois de ele me trair com uma mulher de Lima e outra enquanto morávamos em Praga. Sobre o meu sequestro relâmpago, quando eu tinha quinze anos, no Rio, porque descobriram que eu vinha de uma família muito influente. Que meus pais ainda eram vivos, mas minha mãe estava com Alzheimer. Tanto drama, tanta intensidade que não era justo reviver aquilo. Que ficasse entre nós e que Guilherme jamais soubesse dessa conversa porque é uma pessoa muitíssimo reservada. Leal amiga que era, Maria Isabel se esqueceu daquilo tudo e nunca mais tocou nesses assuntos.

Outros segredos e passagens da minha vida ficaram guardados com queridas amigas que eu nunca mais vou ver. Meus três casamentos, a violência doméstica que me rendeu um trauma quase impossível de superar, a minha passagem por Londres como faxineira, por Paris como garota de programa, a tara do Guilherme por sexo a três, o filho que ele teve com outra e que foi assassinado, a proposta que eu tive para publicar um livro, minhas viagens como soprano quando eu tinha vinte anos, a casa em que eu morava com meus cinco irmãos, todos órfãos, que pegou fogo, o meu pai que perdeu toda a fortuna da família com uma prostituta e se matou em seguida, a vez em que fui a mante de um ministro. Uma rica história de vida.

Senti uma certa angústia quando, eventualmente, soube que a aposentadoria do Guilherme estava para sair. Voltaríamos em poucos meses para o Brasil e pronto. Com a mudança viria o fim das minhas confissões, dos segredos compartilhados com as minhas amigas. Um ponto final nas minhas verdades.

No Brasil compramos um apartamento na Bahia e fomos viver de frente à praia. Passei a ser a mulher do Guilherme, a senhora que nunca sai de casa. Acho difícil fazer amigos. Minhas amigas ficaram espalhadas pelo mundo, cada uma num país. Minha família me incomoda. Não os conheço bem. Há mais de trinta anos que eu não moro aqui e fiquei cristalizada na memória deles. A minha saída do país coincidiu com a morte da minha mãe. Para a minha família foram duas ausências, duas rupturas. Ficamos, eu e a mãe, presas para sempre naquele último minuto de vida em comum. É com a mãe que eu converso no degrau da varanda, aguando as flores do jardim. É ela que me faz companhia. Sobramos e morremos para o meu pai, meus irmãos, sobrinhos. Se voltássemos, eu e a mãe, desse além, teríamos que nos apresentar, nos identificar, muito prazer.

Voltar para o Brasil e não ter planos de voltar a sair é ter que esquecer cada verdade que contei sobre mim durante tanto tempo. É começar a fazer confusão, perder as pistas deixadas. Tudo já tem tanto tempo. A memória começa a embaralhar.

Mergulhada nessa minha morte, levo susto com o telefone. Era o Daniel, meu marido, que vai chegar mais cedo do consultório a tempo de buscar a mamãe no aeroporto.

# LUCIEN ROLAND

apagamento

É um escritor, naturalmente. Um homem que se chama Lucien Roland deve ser, por força, alguém que escreve. Lucien é um autor celebrado por tudo o que for possível a língua alcançar: poemas, ensaios, crônicas, contos, romances, textos para jornal, roteiros, dramaturgia. Lucien já teve textos publicados até mesmo no New York Times. Lucien é um talento, dizem os amigos, sussurram os inimigos, emociona-se a família. Lucien não só escreve bem como também já conquistou todos os grandes prêmios literários. Não há reconhecimento ao qual ele não esteja associado. Cite um prêmio: Lucien já ganhou ou foi finalista.

Há quem verifique diariamente as previsões do horóscopo de Lucien Roland só para ver se tem chance de sorte.

Tem mais: Lucien teve seus livros traduzidos do chinês ao sueco, passando por árabe e grego. Não tem para ninguém. Lucien, além da carreira brilhante, da genialidade indiscutível, tem uma vida pessoal conturbada. Lucien bebe muito, como todo bom escritor; Lucien teve amantes enquanto estava casado, conforme todo escritor que se preza deve ter. Lucien vem tentando parar de fumar, naturalmente. Lucien leva para o apartamento as moças que fazem curso de escrita criativa com ele. Precisa treinar as meninas direitinho, explicar-lhes as políticas indizíveis do universo editorial, contar-lhes sobre o prestígio e a influência. Muitas moças que fazem o curso de escrita criativa com Lucien acreditam no amor dele por elas, mas Lucien se cansa de tanta oferta, entra em depressão e escreve mais um livro sublime. Não adianta: Lucien nunca vai mudar, é um gênio. Deixem Lucien. Uma mente brilhante assim não deve ser incomodada.

Uma das alunas mais aplicadas do curso de escrita criativa está escrevendo uma biografia sobre Lucien Roland. É uma biografia não autorizada, mas sabida por Lucien, que dá as informações necessárias à moça quando ela frequenta seu apartamento às sextas-feiras.

Daremos um nome para a aprendiz e biógrafa: Ana Cristina. Ana também é escritora. Claro, jamais terá a genialidade de Lucien Roland, mas mostra potencial. Vez ou outra, Lucien facilita que um texto dela seja publicado em alguma revista dos seus amigos que fazem do mercado editorial esse lugar cool e impenetrável.

Ana Cristina acredita que está trilhando o caminho certo. Ela ama Lucien Roland. Se não seu corpo, sua mente. Se Lucien a usa para sexo, ela o usa para prestígio. Ana é casada, mas isso não é um problema. As pessoas falam e eles desmentem. É uma dinâmica bastante simples.

Lucien avisou para Ana Cristina que se preparasse, pois contaria para os amigos sobre a biografia não autorizada. A agente de Lucien já aguardava o barulho que a coisa ia causar. Fizeram um release no nome de Ana Cristina, que já tinha um livro de contos publicado por editora independente, e outro no nome de Lucien.

O release de Ana Cristina dizia da admiração dela pelo escritor, um dos mais notáveis da América Latina desde Borges. Por isso, ela tinha se debruçado sobre a história da vida dele e pretendia terminar o livro ainda este ano. Ana Cristina expressava na nota que sentia muito que Lucien tenha se negado a autorizar a publicação da biografia. Afinal, o mundo quer saber a história desse gênio que está a apenas um Nobel da consagração total.

Lucien, em seu release, foi orientado pela agente a dizer que estava surpreso com o interesse da autora em escrever sobre ele. Que não acreditava que tivesse relevância suficiente para compor um volume de biografia. Claro que isso era mentira. Lucien sabia muito bem que sua vida e sua carreira eram de grande valia para os leitores. Era um homem interessantíssimo, mas precisava forjar a humildade que não conhecia. Além disso, seu release dizia que tentou convencer a jovem escritora a trabalhar um romance, em vez de uma biografia, mas foi inútil. A jovem estava disposta e muito decidida. Ele concluía a nota dizendo que, apesar de não concordar e não colaborar com o trabalho, desejava boa sorte à escritora.

Lucien e Ana Cristina continuaram, às escondidas, seus encontros banhados a muito desejo, álcool, leituras de trechos retirados da vasta e invejável biblioteca de Lucien. Na sala de três ambientes, que era também uma sala de jantar, Lucien cobriu as paredes, três delas, de estantes dos pés ao teto do apartamento. Uma coleção primorosa com pensadores de todos os séculos, ficcionistas da melhor qualidade, poetas dos mais sensíveis. Toda a literatura universal estava lá: de Cervantes e Shakespeare a escritores indígenas contemporâneos. Não era de se espantar como se apresentava Lucien em cada festa literária internacional da qual participava. Era de uma erudição tão brilhante que

Ana Cristina, às vezes, chegava a se deprimir pela inatingível meta de ter um terço da inteligência do homem que levava para a cama e que amava com tanto investimento. Não que fosse lá grandes coisas como amante. Ana Cristina teve melhores. Jornalistas e ensaístas com quem já tinha saído davam de dez a zero no Lucien. Os contistas eram sempre os melhores e os poetas, os piores. Assim sendo, quando ele era egoísta e não queria dar, só receber, Ana Cristina pensava no privilégio que era ter, um dia, na própria biografia, que tinha sido amante de Lucien Roland.

Vamos deixar claro que Lucien não é um homem indiscutivelmente atraente. Não é um homem inquestionavelmente bonito. Há algumas características nele que o fazem único e que dão a ele uma personalidade forte. O apelo sexual que ele causava nos outros era resultado de algo que não se pode tocar, um sabe-se lá o quê. Mas, apesar de feio, Lucien usava bons perfumes, usava roupas com bons cortes. Tinha seu charme, claramente.

O processo de escrita da biografia de Lucien Roland estava indo bem. Ana Cristina colhia cada vez mais informações que Lucien lhe contava, mas, claro, pedindo segredo entre os sussurros de travesseiro. O trabalho da jovem escritora já estava bastante adiantado e ela agora precisava de uma editora para dar sentido a tanto afinco. Mas não qualquer editora, diga-se. Só a melhor, só a maior terá o merecimento de publicar uma obra dessa importância. Ana Cristina não fez praticamente nada. Afinal, escrever o que dizia Lucien Roland era um privilégio. O texto vinha pronto da boca daquele homem. Daquela boca que ela não acreditava que beijava toda sexta-feira, num affair excitante e às escondidas.

Durante a semana, Ana Cristina recebeu uma mensagem de Roland. Isso não era usual, já que poupavam evidências a todo custo. Ele pedia que ela fosse à sua casa na mesma noite. Ana Cristina não podia. O marido estava em casa. Sexta era dia de escrita criativa, não terça. Roland explicou que tinha uma notícia importante a dar e Ana Cristina explicou para o marido que uma das participantes da oficina de escrita criativa que ela fazia às sextas, tinha tentado cometer suicídio e os participantes, que já eram amigos, precisavam visitá-la. Não dava para deixar para outro dia. Naturalmente, o marido gentil de Ana Cristina concordou com que a mulher cancelasse o cinema que tinham combinado. Era uma mulher generosa. Se fossem ver o filme, Ana Cristina acabaria não aproveitando a saída, ocupando os pensamentos de preocupação pela moça.

Banho tomado, Ana Cristina correu para a área mais charmosa da cidade e, ofegante, entrou na belíssima sala do apartamento de Lucien.

Comemoraram até uma da manhã a notícia de que a maior editora do país publicaria a biografia não autorizada de Lucien Roland, escrita por Ana Cristina Tomás. A maior editora do país! Ana Cristina, uma escritora novata, não podia acreditar que seu nome na capa pousaria logo acima do selo de maior prestígio no país. A partir daquilo, a carreira iria deslanchar, fosse ou não amante de Lucien.

Mesmo sabendo que jamais se igualaria à excelência de Lucien, Ana Cristina estudava e lia tudo que o amante recomendava. Lucien, com a biblioteca que tinha, sugeria o que de melhor existia na literatura nacional e universal de todos os tempos. Ainda assim, quando participava das festas literárias, das entrevistas, dos podcasts, Lucien sempre surpreendia e na sua erudição espetacular, citava nomes que pouquíssimas pessoas conheciam. Às vezes, só o entrevistador tinha ouvido falar, mas não tinha lido. Mais respeito ainda por Lucien, essa fonte inesgotável de conhecimento, até mesmo o obscuro. Tanta admiração pela inteligência inalcançável de Lucien só fazia Ana Cristina estudar e ler cada vez mais. Era uma inspiração.

Havia uma passagem na vida de Lucien que ele gostaria de esquecer e que pediu, encarecidamente, que Ana Cristina não mencionasse no livro. Se desobedecesse, a carreira dela estava acabada, e ela sabia que da mesma maneira que ele podia fazer dela a nova promessa da literatura contemporânea, poderia também cancelar Ana Cristina Tomás de tal maneira que nunca mais seria convidada para feiras, entrevistas, opiniões, podcasts. Nem em antologia de editora independente que cobrasse entrada, o nome dela elencaria.

Ana Cristina jurou e fez o prometido.

No dia do lançamento, todos, absolutamente todos os escritores, jornalistas, críticos e editores foram prestigiar a biografia do maior nome da literatura nacional. Lucien Roland estava com seu melhor paletó atrás de uma mesa que separava a celebridade que ele era da infinita fila de gente que foi lá vê-lo. Ana Cristina estava sentada à mesa com Lucien. Fizeram um jogo de marketing brilhante para toda essa função: uma semana antes do livro sair, correu na imprensa que Lucien perdoou Ana Cristina por ter escrito sobre sua vida de forma não autorizada. Que apesar de ele ser um homem discreto e odiar exposição, ele compreendia que talvez ela visse nele alguma relevância literária, suficiente para justificar tamanha audácia. Fizeram as pazes e ele prometeu dar uma passadinha na livraria no dia do lançamento, mas não queria tirar dela o brilho. A noite era de Ana Cristina. Ele já tinha tido muita atenção e não precisava de mais. Claro, havia gente que pedia o autógrafo de Lucien e se esquecia de Ana Cristina. Mas Ana sabia seu lugar e não se importava. Conversou com jornalistas de suplementos literários, jornalistas, editores, escritores, essa gente superiormente inteligente e tão, tão cool que nem tem como explicar. Diante de tanta gente importante, Ana Cristina notou que não devia mais rir com a boca aberta. Mostrar os dentes não era comum entre aquelas pessoas. Ser simpático também não. Era preciso ter um jeito de quem tem uma constante dor de cabeça. Quando convidada a dar entrevistas, seria bom parecer desconfortável, dar uns sorrisos sem graça, deixar o entrevistador um pouco constrangido. Precisava parecer inteligente. Parar de dar corações no Facebook. Dar apenas joinha, mas de forma equilibrada.

O lançamento foi um sucesso. Os livros esgotaram e a livraria passou a fazer encomendas. O marido de Ana Cristina, uma gentileza, foi embora levando o filhinho de dois anos que não aguentou o agito e pediu à mulher que não voltasse para casa antes de comemorar com os tantos amigos que lá estiveram. Disse que cuidava da casa, do menino e que Ana Cristina cuidasse apenas de se divertir e que não voltasse cedo para casa.

E foi exatamente o que Ana Cristina fez. Não conseguia acreditar nos próprios olhos. Ela sentada à mesa lado a lado com os maiores editores, escritores e jornalistas literários de todo o país. Ela, uma novata publicada pelo maior grupo editorial, amante do homem mais notável do país, quiçá do mundo contemporâneo, jantando e bebendo com aquela gente toda. Ana Cristina jurava que conseguia até tocar na inteligência que saía daquelas cabeças, daquelas barbas, daquelas echarpes, daqueles chapéus, daqueles tênis com estilo de velho.

Ana Cristina, a nova escritora contemporânea do país, porque aquele volume de contos não conta. Foi feito às pressas, editora pequena, uns contos ruins, outros com potencial. Mas nada, nada se comparava ao que ela era agora. Melhor que isso: ela era aceita e tinha entrado naquela turma impenetrável de intelectuais que fazia a cultura nacional tão relevante, criativa, inteligente. Ana Cristina queria tanto ter tirado uma foto da mesa com toda aquela gente importante, mas além de ter cara de dor de cabeça, não rir mostrando os dentes, fotos eram uma coisa indizível. Se por acaso alguém sugerisse, todos deveriam se entreolhar com cara de desconforto, mas no fim conceder e aparecer com expressões de espanto, seriedade ou tédio. Sorrir francamente era, com perdão do trocadilho, queimar o filme.

Quando todos se despediram, Ana Cristina ganhou mais parabéns, uma breve conversa com o editor mais importante do país que, um pouco bêbado, mas atento, disse que adoraria ver o que ela tem a oferecer a partir de agora. Queria muito ver os trabalhos dela, o que ela poderia criar. Ele estava à disposição e pediria amanhã mesmo sua amizade no Facebook. Já eram amigos há três anos, mas talvez ele nem tenha notado. Antes de ir embora, no banheiro, Ana Cristina desfez a amizade com o editor para que ele pudesse contactá-la. Se não se lembrava dela nas mídias sociais reclamando atenção e oportunidade, que bom! Agora, depois de tamanha glória, Ana Cristina deveria se respeitar, se valorizar. Jamais entrar em debates ou reclamar, falar mal do mercado editorial. Isso é coisa para quem está entrando. Ela já tinha entrado e fazia parte de um seleto grupo.

Todo mundo se despediu e ninguém notou, ou todo mundo sabia, que Ana Cristina e Lucien entraram juntos no mesmo táxi. Obedecendo o marido, Ana Cristina foi continuar a diversão no apartamento de Lucien. Estava tão grata ao notável escritor que fez de tudo para ele, por ele. Ele merecia, aquele Deus da literatura teve a generosidade de deixá-la entrar no grupo dos privilegiados. Chamou um táxi. Eram três e meia da manhã.

No caminho para a casa, em vez de pensar nos novos amigos, sem saber por quê, Ana Cristina começou a pensar no episódio motivo de ameaça, a única coisa que Lucien fez questão de deixar fora da biografia. Estranho porque todo mundo sabia do acontecido, mas ainda assim ele quis dissipar o negócio no ar, esquecer-se do ocorrido.

E onde estaria Julia Pequim? Onde estaria a moça que fez o Lucien desmaiar ou sofrer um ataque qualquer no horário nobre da maior festa literária internacional do país? O fato foi que, num painel de três escritores, entre eles Lucien e Julia Pequim, algumas perguntas começaram a incomodar o Lucien. Ana Cristina não estava lá, mas leu sobre tudo nos jornais. O cara desmaiou depois de uma série de perguntas difíceis que a tal Julia fez para ele. Passou mal. Ficou tudo muito mal explicado e nem quando Ana e Lucien estão descansando depois do sexo, ele deixa ela tocar nesse assunto.

Julia Pequim sumiu. Na época, e isso tem lá seus cinco, seis anos, Ana ainda nem tinha escrito o livro de contos que publicou. Estava meio por fora. Isso fez com que criasse uma crescente curiosidade pelo assunto. Talvez agora, já que a biografia estava publicada, tratasse de investigar essa história. Começou a imaginar que não fosse possível dormir sossegada até descobrir a verdade. Tinha que achar Julia Pequim.

Primeiro lugar é obviamente o Facebook. E lá ela estava. Perfil completamente fechado. Só para amigos. Ana Cristina foi lá e pediu a amizade. Não demorou dois minutos, pedido aceito. Ana Cristina ficou com medo. Aceitou rápido demais. Julia mandou uma mensagem. "Parabéns pela biografia do Lucien Roland. Vou ler. Abraços e obrigada pelo pedido de amizade." Claro, ela desapareceu, mas estava viva durante os últimos cinco anos e possivelmente comprando jornal. Daí, viu sobre o livro e reconheceu o nome dela.

Ana Cristina mandou uma mensagem de olá, bastante formal e fria. O que se seguiu foi surpreendente. Julia Pequim pergunta a Ana se ela quer se encontrar para um café e saber a razão de ela ter desaparecido do mapa literário depois de ter passado como convidada principal de uma das festas mais badaladas do país. "Quer tomar um café e saber o que aconteceu comigo?"

Para Ana Cristina, o pedido foi irresistível. Precisaria manter segredo. Se Lucien soubesse que encontrou e, pior, estava indo tomar café com Julia Pequim, seria o fim de Ana Cristina Tomás.

Escrita criativa na sexta. Dormiu com Lucien. Ouviu dele sobre a entrevista que daria para um canal de Arte e Literatura. Canal importante, bem exclusivo, para pessoas como Lucien. Ele estava escrevendo, quase terminando um novo romance e aquilo era muito aguardado no mundo literário. Lucien brincava que ninguém queria lançar livro no mesmo ano que ele porque os prêmios eram dele. Não tinha para ninguém. Ter um livro dele competindo era o mesmo que competir dentro de cinquenta por cento de chance. A metade ele já tinha ganhado. Transaram e foi horrível para Ana Cristina. Ela estava agitada com o encontro com Julia Pequim no dia seguinte. Nem quis ficar para o jantar. Mentiu dizendo que o filho estava gripado e foi embora.

No dia seguinte, Ana Cristina acordou cedo, pegou o metrô e foi para o centro da cidade. Lá, encontrou o café recomendado por Julia Pequim. Não sabia por quem procurar. Ela não deixava foto própria no perfil, o que era esquisitíssimo. Assim sendo, Ana Cristina entrou e se sentou perto da janela na certeza de que Julia Pequim a encontraria, já que Ana tinha um milhão de fotos só de perfil.

Ana Cristina pediu um café e um pedaço de bolo de nozes. Tinha saído correndo de casa, sem tomar café. Dez minutos se passaram depois de acabar o bolo e nada. Talvez Julia Pequim tivesse mudado de ideia. Não trocaram número de celular. Um erro. Talvez ela tivesse se atrasado, talvez tivesse desistido. Difícil saber. Resolveu esperar mais quinze minutos. Quinze minutos se passaram. Julia Pequim não apareceu. Ana Cristina juntou o bloco de notas que carregava por todo lado, as duas canetas, pagou pelo café e bolo, olhou ao redor, saiu.

Vários anéis de caveira e serpente entrelaçavam os dedos que seguraram Ana Cristina pelo braço quando ela estava quase virando a esquina do café.

"Desculpa. Cheguei atrasada. Culpa do metrô. Desculpa. Pode voltar? Te pago um café."

Julia Pequim pareceu ser uma mulher normal, nos seus trinta e poucos, regulava com Ana Cristina. O que havia de tão horrível com essa mulher para que o suprassumo do meio literário a odiasse tanto?

Voltaram as duas até o café. Mesma mesa, ainda vazia. Julia e Ana pediram um suco e frente a frente começaram uma conversa direta sobre Lucien.

– Há quanto tempo você trepa com ele?

Ana Cristina explicou, ainda que com certa resistência, sua relação com Lucien.

Julia Pequim tomou um gole do suco gelado. Olhou para Ana Cristina e disse que conseguia se ver dentro dos olhos dela. Se Ana tivesse tempo, ela contaria a história, tudo que houve entre Julia Pequim e Lucien Roland.

Foram três expressos cada uma, dois sucos de laranja, um bolo de chocolate dividido. Julia Pequim estava abrindo uma editora. Ninguém tinha notícia dela, mas tinha certeza de que, pelos jornais, Ana Cristina já tinha ouvido falar de Isabel Pedrosa. Pedrosa era o sobrenome do pai português. Isabel era o nome da avó. Julia Pequim era a falada e relativamente misteriosa nova editora Isabel Pedrosa. Claro que Ana Cristina já tinha ouvido falar dela. Julia Pequim tinha recebido uma pequena herança e ia gastar tudo publicando livros.

Terminaram o encontro, trocaram número de celular. Ana Cristina fazia agora todo o sentido da razão pela qual uma jovem escritora sem grande expressão tinha tirado Lucien Roland do sério. Ele acabou com a carreira de Julia Pequim. A tal ponto que ela precisou trocar de nome. Um recomeço, um renascimento. Lucien, o impostor.

Flip, Paraty – Tenda Principal

A mediadora da mesa apresenta Julia Pequim, contista e nova promessa da literatura contemporânea, Luiza Gutierrez, poeta chilena muito im-

portante e o convidado principal e muito espera-
do, o maior escritor e pensador dos nossos tempos:
Lucien Roland. Palmas para todos e palmas e asso-
vios para Lucien Roland.

Perguntas e colocações, provocações e citações
e, do nada, Lucien se perde. Julia Pequim, que estava naquela mesa por influência do próprio Roland,
depois de ter dormido com ele por uns quatro meses, começa a desafiá-lo. Faz milhões de perguntas
e ele começa a se enrolar. Na plateia ninguém en-
tende. Como uma moça tão mais nova que Lucien,
sem toda aquela bagagem e todos aqueles prêmios
pode deixá-lo sem palavras? O que está acontecendo, a plateia se pergunta. Prensado contra a parede
até não poder mais respirar e sem ter como impro-
visar, Julia Pequim claramente toma a liderança da
conversa com colocações brilhantes, uma enorme
simpatia. Lucien está morrendo. Até que, notando
estar em águas revoltas, Lucien simplesmente des-
maia. Foi um acontecimento.

Todos na tenda principal correram para salvar o monumento que era Lucien Roland. Julia
Pequim recebeu os olhares mais atravessados e de
maior censura que se pode imaginar. A culpa foi
toda dela, afinal de contas. Onde já se viu desafiar
assim uma autoridade como Lucien. Quem aquela
mulherzinha pensa que é?

Não foi possível que Julia Pequim continuasse na Flip. Houve linchamento virtual, houve cancelamento. Ninguém mais falava com ela. Todos falavam dela. Ninguém mais queria ser visto com ela, tomar um café ou uma cerveja com ela. Julia Pequim estava morta. Nunca mais conseguiu lançar um livro, dar uma entrevista, publicar um ensaio, um conto. Nada. As portas estavam fechadas para a petulância de uma mulher que não soube se colocar no seu lugar e deixou constrangido o maior autor nacional. Julia Pequim era uma vergonha. Precisava ser escondida, e para sempre.

Lucien deu a Julia Pequim a oportunidade de brilhar. Arrumou para ela uma cadeira na tenda da Flip, na programação principal. E o que Julia Pequim fez para Lucien Roland? Deu a ele um constrangimento que virou trauma. Essa foi a notícia por semanas e o tribunal de Julia Pequim decidiu que ela era, sim, uma sem noção, aproveitadora e tola. Todos aqueles amigos super legais, os escritores mais bacanas que ela conheceu, deixaram Julia Pequim apodrecer até ela parar de existir. Durante anos ela não teve nem mesmo vontade de sair da cama, quanto menos escrever qualquer coisa que prestasse.

A amizade clandestina entre Ana Cristina Tomás e Julia Pequim foi se firmando e se fortalecendo. Julia foi detalhando seu relacionamento com Lucien enquanto Ana Cristina se escandalizava com cada detalhe. Até chegarem a um ponto que foi determinante para que Ana Cristina terminasse seu relacionamento com o maior gênio da literatura nacional.

Numa noitada de muito sexo, cocaína e uísque, Lucien confessou para Julia Pequim que não havia lido nada daquela magnífica biblioteca que cobria as paredes altas do seu apartamento de luxo. Improvisava. Sempre. Depois de ter o prestígio que tinha, sacava nomes de dentro do bolso ou de trás da orelha e convencia a todos os esnobes intelectuais que eram um bando de mal informados, porque nunca tinham ouvido falar em Gustav von Madredeus, William Bryonfont, Martino di Giovannese, Klaus Beckmann, Astolfo Martinez. Lucien inventava esses nomes na hora das entrevistas e as pessoas ficavam pasmas com tanta, tanta cultura. Será que alguém um dia conseguiria ser mais bem lido e inteligente que Lucien?

E que não viessem perguntá-lo sobre Guimarães Rosa, João Cabral, Machado, Drummond, Clarice, Cruz e Souza, Lima Barreto, Saramago, Shakespeare, Cervantes, Marlowe, Kafka, Goethe, Woolf, Austen, Lorca, Neruda, Petrarca, Camões. Não! Essas são páginas viradas. Era preciso educar uma nova geração, não só com esses celebrados autores, mas com as importantes novidades que foram desconsideradas por séculos e que enriquecem ainda mais as mentes e fundamentam de maneira muito mais sólida qualquer tentativa artística.

Apesar da Ana Cristina, da Julia e sua pequena editora independente, Lucien vai bem. Não acaba nunca.

# O CASAMENTO DE LETÍCIA
### disfarce

Somos quatro em casa. Durmo muito tarde porque sou insone. Às vezes, só consigo descansar depois das quatro da manhã. Às seis já estou de frente para o espelho fazendo a barba. Do canto do olho, noto Letícia em seu sono profundo, aos poucos voltando para a consciência. Até eu terminar de fazer a barba, ela vai acordar, se espreguiçar, me desejar bom dia, reclamar da dor nas costas, espirrar três, quatro vezes, reclamar da poeira desta parte da cidade. Vou ouvi-la, sorrir, me desculpar por não conversar porque estou fazendo a barba. Vou soprar-lhe um beijo e ela vai me sorrir de volta.

Conheci a Letícia na faculdade. Fizemos alguns períodos juntos, mas não éramos amigos. Uma noite, durante uma festa, levei um fora e acabei ficando com ela. Na verdade, não levei um fora; fui rejeitado. Levar fora é comum a qualquer homem, era o que o pai sempre nos disse, aos três irmãos. Crescemos entendendo que as mulheres vão nos humilhar, vão nos escolher, que devemos ter sucesso para ter a chance de sermos escolhidos pelas mais bonitas, mais inteligentes, mais ricas. Levar fora faz parte da vida de um homem. A rejeição é outra coisa. Rejeita-se alguém pelo que é ou deixa de ser, e levar fora vai mais na linha do ter ou deixar de ter.

No meu próprio silêncio, uma história se formava. Antes de a Letícia entrar na minha vida, eu estava apaixonado, entregue, rendido. A Letícia veio, então, em boa hora. Me tirou de um rolo que crescia na cabeça. Me fez entrar na linha, deixar aquele amor desesperado para outra ocasião. Uma paixão daquelas não daria certo, era exagerada, um erro.

Todos os predicados possíveis eram encontrados na Letícia. Eu nunca teria oportunidade melhor e depois de um ano juntos, pedi ela em casamento. Ela tinha trinta. Eu tinha vinte e nove.

Quem mais ficou feliz com a chegada da Letícia foi a mãe. Depois, o pai. Meus irmãos também se interessaram pela possibilidade de a Letícia ter um monte de amigas feito ela. Mas não tinha. Letícia era e sempre vai ser diferente, única. Nosso casamento é para sempre.

Quando nosso primeiro filho nasceu, eu e Letícia combinamos de ela ficar em casa e cuidar do bebê que logo teve um irmão. Letícia deixou a carreira de advogada e foi ser mãe. Ela sempre foi dessas que acredita que não é possível estar em um lugar, se estiver em dois ao mesmo tempo. Para mim, uma ótima solução. Eu sempre ganhei muito dinheiro. Dinheiro do trabalho, dinheiro da família, dinheiro nunca faltou. Letícia nunca reclamou de ser mãe e dona da casa. Sempre tivemos uma vida que pouca gente tem: não brigamos, saímos para jantar nos melhores restaurantes da cidade, vamos ao cinema, ao teatro, temos uma biblioteca ampla e lá ficamos boa parte do fim de semana juntos, o roçar dos ombros, às vezes os cotovelos, a música de fundo. São provas do nosso amor.

De fato, nosso casamento é praticamente perfeito. Nossos filhos são saudáveis, são lindos e inteligentíssimos. Estão agora com dezenove e vinte anos. Saem muito nos finais de semana, têm um grande e leal círculo de amigos. Letícia e eu estamos bem, fazemos exames regulares com os melhores médicos da América Latina. A vida não tem como melhorar. Nas repetidas noites de insônia, imagino, em histórias mirabolantes, alguma bomba caindo no nosso telhado, furando a casa, nossos corpos explodindo e se transformando em pó em questão de segundos. Ou talvez um silêncio revelado, algum sigilo submerso, fossilizado, que se manifesta.

Não penso tanto na rejeição que sofri antes de começar a namorar a Letícia. Todos os dias, invisto alguns minutos no carro, no metrô, no escritório tentando me esquecer daquilo.

Gustavo, meu filho mais velho, às vezes, puxa conversa querendo saber de antigas namoradas, quer saber quem eu fui antes de ser pai, antes da Letícia. A minha resposta é a mesma ao Lucas, o mais novo que também tem uma grande curiosidade em me conhecer. Mas não há nada a saber. O que quer que tenha acontecido antes de Letícia, não era importante. Nunca fui tão feliz na vida quanto com a mãe de vocês. Imaginem. Qualquer outra vida possível teria sido infeliz se é com esta aqui que me sinto pleno, um homem de sorte, concordam?

Lucas, outro dia, trouxe a namorada. Uma moça muito bonita, bem nascida, bem criada, estuda Letras, quer ser tradutora e escritora. Pensei, mas não cheguei a comentar, que era uma pena, mas ninguém é perfeito. Ainda assim, muito agradável, trazia posições políticas neutras, nunca ofenderia esquerda ou direita. Gustavo não suportava a moça. Meu filho mais velho tem imensa paixão por política e, como resultado, é um radical de esquerda. Não brigamos ou temos discussões mais acaloradas, mas com o irmão, às vezes se desentende. Gustavo costuma dizer que a moça, Valentina, se não é nem de esquerda e nem de direita, é porque é de direita. Não gosta do sorriso sempre sob controle, não gosta do bom comportamento. Gustavo é uma força. Rapaz de muita inteligência, mas sinto que existe nele alguma coisa velada, uma espécie de tristeza, não sei bem o que é. Às vezes, me lembra eu mesmo quando moço. Como se algo não se encaixasse na sua personalidade. É uma bobagem, mas me dá essa impressão de deslocamento. Também como eu fui, Gustavo é muito discreto com suas relações. Não nos apresenta suas namoradas – e sabemos que teve várias.

O melhor amigo é um rapaz da comunidade, poeta. É negro, algo que incomoda Letícia, que precisa se explicar com as amigas. Gustavo é muito diferente. É a nossa ovelha negra. Uma hora ele entra nos eixos.

Quando Gustavo era criança, vivia brincando com o filho da Angélica, a nossa ajudante aqui em casa. Mesma idade. O menino, feito o amigo recente de Gustavo, também era negro. Na época em que brincavam, eu e Letícia achávamos bom expor as crianças a outra realidade, a se misturarem um pouquinho e sair um pouco da redoma de vidro que sempre nos cercou. Dar às crianças um pouco de vivência. O Gustavo acabou se afeiçoando demais ao Bruninho. Faziam tudo juntos. Nas festas de aniversário aqui no prédio era um transtorno: a primeira fatia de bolo ia sempre para o filho da empregada. Para o Lucas, nada. Depois veio a inconveniência e o estresse de ter que levar o Gustavo nas festas de aniversário do Bruninho na favela, que hoje trocou de nome, mas continua sendo a mesma calamidade. Eu e Letícia subíamos o morro só para levar o Gustavo, que era uma felicidade só. Angélica ficava meio sem lugar com a gente lá e até dizia que podíamos ir embora que ela tomava conta dos meninos. Mas Letícia tinha muito medo de sequestro. Ficávamos todos lá, entre as pessoas que nos olhavam com muita desconfiança como se fôssemos algum tipo de problema. Chegamos a convencer Angélica a fazer as festinhas do filho aqui no condomínio, no salão gourmet, na brinquedoteca. De repente, até a piscina os moradores concordariam em liberar. Foi uma vez para nunca mais. Só compareceram o Gustavo, o Lucas e o amiguinho do Lucas. Ninguém da comunidade veio. Angélica acabou dando outra festa na semana seguinte já que o menino ficou triste com a ausência de tanta gente. Eu e Letícia ficamos surpresos. Imaginamos que o prédio fosse lotar daquela gente lá do endereço da Angélica. Se não viessem por amizade ao menino, viriam pela curiosidade de ver um dos melhores condomínios da cidade. Ninguém.

Já estavam os dois virando adolescentes e a Letícia começou a se incomodar. Pensou em mandar a Angélica embora, mas não conseguiu ninguém que se dispusesse a trabalhar as horas longas que a nossa fiel ajudante trabalhava. Angélica foi ficando, Bruninho foi crescendo e já era praticamente da família. Gustavo não largava o menino. Emprestava livro para ele ler, começou a ensinar inglês para o amiguinho. Eu tive uma conversa com Gustavo para ele parar de colocar o rapaz para sonhar. Até roupa o Gustavo dava de presente para o menino. Letícia separava sacolas e sacolas de roupa velha para passar para Bruno, e Gustavo se ofendia, dizia que ele não era sem teto, sem roupa, sem amor, sem inteligência. Dizia até que era igual a nós. Gustavo sempre teve esses rompantes, essa paixão, esses excessos. Eu avisei que, não ia demorar, o rapaz ia começar a querer frequentar faculdade, ser médico, advogado. Já o Lucas sempre teve a cabeça no lugar. Nunca se envolveu com o Bruninho. Era muito educado, mas sempre manteve a distância necessária. O Gustavo é que é meio diferente.

Foi no dia da inscrição para os exames universitários.

Gustavo foi com Bruninho fazer a inscrição. O rapaz negro com aquela questão de cota, aquele absurdo todo. Enfim, parece que era direito dele. Naquele dia, só Gustavo, graças a Deus o Gustavo, voltou para casa. A polícia deu uma batida num grupo de jovens que estava fazendo uma balbúrdia na rua, falando alto, rindo, atrapalhando a ordem. Muitos eram gente feito Gustavo. Mas tinha um amontoado feito o Bruninho também. A confusão foi tanta que a polícia, para manter a calma, acabou atirando naquela desordem toda. Uma pena aquele acidente, a bala dentro do Bruninho. Gustavo ainda está sob um terrível trauma. Temos sorte de ele poder se tratar com os melhores psicanalistas da cidade. A Angélica a gente precisou dispensar. Coitada, já não sabia o que era açúcar e o que era sal. Chorava muito quando via o Gustavo, também embrulhado em sombra, pelos corredores da casa. Nós entendemos o sofrimento da coitada, mas precisamos de ajuda. A Letícia não dá conta de tudo sozinha numa casa deste tamanho e a presença da Angélica estava atrapalhando o Gustavo a se recuperar do abalo.

O acidente com o Bruninho já tem uns dois anos. Gustavo ainda não toca no assunto. Tem lá no quarto dele uma foto dos dois escalando uma montanha em Minas Gerais. Deve ter mais fotos em algum canto, mas não vou procurar, deixa o rapaz.

Fora essa pedra no nosso caminho, a nossa família é, tenho até certo receio em dizer isso, um exemplo. Temos apoio e respeito mútuos aqui em casa. Venho conversando com a Letícia que talvez Gustavo deva ir fazer um Mestrado na Europa. Poderia ir passar um ano ou dois na Inglaterra. Temos amigos por lá que podem nos ajudar, caso ele precise de referência. Acho que sair do Brasil seria bom para o nosso rapaz. Não que o país seja um lugar ruim. Pelo contrário. Até um certo tempo atrás o que havia de roubalheira e corrupção nesta terra, nem vou dizer. Finalmente quebraram o encanto e assumiu um homem que traz um frescor, um sangue novo, cujos valores são mais sólidos, cristãos. Sim, é um sujeito polêmico. Há, às vezes, uma autenticidade que choca. Mas é um líder que é transparente. Nunca escondeu o que pensa. Valorizo demais essa honestidade.

Acho também que faria bem para o Gustavo respirar outros ares, parar com essas conversas e companhias comunistas. Quem sabe uma namorada inglesa? Letícia ficaria tão feliz. Imagina os netinhos bilíngues, loirinhos, que gracinha. Talvez Gustavo esteja deprimido porque Lucas já está com a Valentina há anos e, pelo jeito, vai ter casamento. Conhecemos os pais da moça, gente muito boa. Letícia ganhou uma amiga. A mãe de Valentina, a Vanessa, coordena uma caridade que distribui sopa aos pobres e sem teto da cidade. Uma vez por mês, Vanessa vem aqui buscar a Letícia e as duas vão lá, distribuir comida, conversar com os pobres, antes de correrem para o clube do vinho que frequentam. É uma correria, mas dá tempo. Tenho imenso orgulho do bom coração da minha mulher. Ela faz a parte dela. Não é como esses sujeitos que ficam teorizando. Letícia vai lá e faz. Conversa e até abraça aqueles pobres coitados uma vez por mês, enche a barriga deles de sopa. E ainda tem que aguentar o Gustavo rir da cara dela, chamando a própria mãe de dondoca, dizendo que bom mesmo seria se ela ajudasse esse pessoal a ler, a encontrar casa e trabalho. Discutem, às vezes. Visões muito diferentes.

Quando tocamos no sucesso de Lucas e Valentina, Gustavo sai, entra no quarto, bate à porta ou vai para a rua. O poeta, o negro, amigo dele, parou de vir aqui em casa. Gustavo diz que a amizade continua, que na verdade é ele, o Gustavo, quem tem vergonha da própria casa. O mundo virou de cabeça para baixo. O Gustavo diz que tem vergonha de morar num dos condomínios mais luxuosos da cidade. Eu sempre achei que seria uma boa ideia expor essas pessoas da comunidade à nossa realidade para que tenham ambição na vida. Como tem gente acomodada e ainda nos faz sentir culpa pelo nosso trabalho e bem-estar. Como tem sido difícil viver neste mundo que eu já não entendo.

Fui dormir às quatro. São seis e antes de eu terminar de fazer a barba, minha amada Letícia vai acordar, se espreguiçar, me desejar bom dia, reclamar da dor nas costas, espirrar três, quatro vezes, reclamar da poeira desta parte da cidade. Vou ouvi-la, sorrir, me desculpar por não conversar porque estou fazendo a barba. Vou soprar-lhe um beijo e ela vai me sorrir de volta.

Vamos tomar café sem os meninos, que não dormiram em casa. Ela vai conferir se nada está faltando na minha mala para a minha conferência no Uruguai. São só três noites fora, mas Letícia me abraça e diz que vai sentir minha falta, para eu ligar sempre, dar notícias sempre e trazer para ela alguma surpresa. Gosto muito dessas viagens de trabalho. Tem gente que vai ao psicólogo, tem gente que vai às conferências.

No táxi, a caminho do aeroporto, desembrulho uma balinha oferecida pela motorista. Minhas mãos desenrolam o papel brilhante e encontram outro, um papel fino. Um papel brilhante tão bonito cobre o papel transparente que, de fato, protege a bala. A bala brilha entre os meus dedos que vêm tremendo. Penso que talvez eu morra logo, mas não gosto de pensar em morte antes de pegar um voo. Em vez disso, penso em me esquecer daquela rejeição que sofri antes de conhecer a Letícia. O trânsito está dos diabos. Estamos parados e ainda não deixamos um quilômetro de casa para trás. Eu me distraio olhando lá fora e reconheço o Gustavo. Ele não me vê. Ele está com o tal amigo, o poeta, o negro. Meus olhos baixam até as mãos dos dois, que estão dadas, juntas, apertadas, certamente suadas de um dia de calor como este. Penso nas namoradas dele que nunca conhecemos. Penso nas minhas namoradas antes da Letícia que nunca existiram. Penso que Gustavo e eu não nos conhecemos. Penso no que me perguntam meus filhos sobre quem eu era antes de me casar. Olho de novo para a mão recheada do Gustavo, enrolada com a mão daquele homem. Penso que uma rejeição não é um fora. Olho as minhas mãos ainda trêmulas e vazias.

# SEGURO DE VIDA

morte

A Marina tem essa mania de se deitar de costas quando está nua.

Quando nos conhecemos, eu achava aquele contorno uma obra de arte. O pescoço longo, as costas largas e magras, os cabelos castanhos cheios eram ondas, pareciam estar vivos a cada pequeno gesto de respiração. Era tão profundo olhar para ela deitada de costas que era como perder o fôlego e se sentir feliz. Eu a via deitada nua na minha cama de solteiro no domingo de manhã e ia lá e transava com ela domingo cedinho, cochilava, acordava, mais uma trepada, um café, mijava, voltava, chupava ela, ela gozava, trepava de novo. Enquanto a Marina não se vestisse, a gente não parava.

Só dessas coisas eu me lembro quando a Marina pensa na nossa vida de vinte anos atrás. Hoje, ela está com dor de cabeça. Quase todos os dias ela tem dor de cabeça. Eu acho que ela tem um tumor no cérebro e ela também acha. Quando ela chora de dor de cabeça e me diz que acha que tem um tumor na cabeça, digo para ela que é louca, que não tem absolutamente nada, é claro. Mas eu acho que ela vai morrer e não vai demorar. A gente não pode se separar. Já tem quase dois anos que não tenho trabalho por mais de três meses seguidos. Estou com cinquenta anos e já pareço um velho. Ganhei peso na barriga e estou cansado. Não aguento mais fazer entrevista e dizer que tenho enorme paixão pela profissão de vendedor de aplicativo para empresas. Eu não acredito no que falo. Ninguém acredita em mim e isso acontece antes mesmo de eu abrir a boca. Chego em casa toda semana e dou para Marina a mesma notícia que venho dando há anos: "não passei na entrevista". Ou é isso ou é "perdi o emprego".

Há vinte anos eu e Marina nos apaixonamos. Eu tinha um ótimo emprego. Marina é peruana. Eu a achava linda. Hoje não enxergo mais. Ela vai lá, se arruma, põe maquiagem e eu falo que tá linda porque fui treinado a dizer isso. É fácil e ajuda a guardar confusões. Não tenho saco para essas conversas de "você nunca diz que estou bonita." "Se eu for embora, vai ter homem fazendo fila para ficar comigo." Então, vai lá, Marina, e para de foder com a minha paciência. Vai lá e dá para cada homem dessa fila, você que é tão especial e está aqui presa com um lixo de homem que não consegue emprego nem para te dar um divórcio. Pensa que eu não sei que é isso que você pensa? E quando você me vê assistindo ao programa de culinária às três da tarde e me beija o rosto, você pensa que eu não sinto o cheiro da humilhação? Quando você diz, Marina, que me ama, eu sei que você quer pedir desculpas por não me suportar mais. Você está acabando comigo, Marina. Eu quero mais é que você morra dessa dor de cabeça.

– Querida, você quer paracetamol? Vou buscar água e analgésico para você. Não levanta. Eu faço isso. Quer comer alguma coisa?

– Que sorte eu tenho de ter você. Só o remédio mesmo. E a água. Se tiver mozzarella na geladeira, me corta umas rodelas? Vê se tem tomate e joga azeite por cima, por favor. E sal, não esquece o sal. Obrigada, meu amor. É a sorte grande ter você aqui. Dá um beijo? Eu te amo. Você busca a Maria? Tô com tanto medo desse exame.

São dois lances de escada até eu chegar na caixa de remédio. Quantas vezes olhei no profundo dessa caixa buscando remédio para a minha falência. Dois lances de escada e a Marina não morre e também não vive. Ela se acostumou comigo pela casa e é uma doente que só se levanta para escrever um romance que está em processo há seis anos. Uma merda de um romance muito ruim e que, eu sei, quando ficar pronto, vai ficar deprimida porque ninguém vai querer publicar.

Um lance de escada e olho meus pés. Estão descalços porque já não saio de casa. Estou em processo de apodrecimento, mas estou respirando. Mais uns degraus e chego na cozinha e na caixa de remédio. Posso agora dar uma overdose de alguma coisa para Marina. Busco Maria na escola e explico que a mãe dela morreu e que agora seremos nós dois. Marina e eu temos seguro e se morrermos, valemos meio milhão. Como eu queria que a Marina morresse, mas não pretendo matá-la. Não assim, tão claramente. Talvez, como eu, ela morra de humilhação por dividir a casa com alguém por quem sente nojo, não suporta a ideia de sexo, não aguenta ouvir a voz. Hoje sai o resultado do exame. Ela acha que tem um tumor. Vamos ver.

– Querido, não demora. Minha cabeça está estourando.

A cabeça da Marina estourando era uma pintura. Miolos partidos e espalhados na mais profunda cor vermelha pelo travesseiro. Mas ela ainda tem energia para me gritar lá de cima. Não pode ser tão forte assim a dor de cabeça de hoje. Ela está lá, deitada de costas, mas já não vejo qualquer beleza nisso. Ela me cansa.

– Já subo, meu amor. Só pegando o remédio. Não tem tomate. Serve só a mozzarella com azeite e sal?

Corto as rodelas de mozzarella para a Marina. A cada corte imagino a sua garganta. Tenho facas, tenho remédios, tenho janelas altas, não tenho coragem.

– Come tudo. Você precisa se alimentar. Se não comer e beber água essa dor não passa nunca.

– Meu amor, acho que estou morrendo. Acho que sei o que vai dizer o resultado do exame. Sinto que tem alguma coisa na minha cabeça.

Claro que tem, Marina. Sua cabeça é cheia de merda.

– Marina, você não tem nada. Você não vai morrer. O exame vai dizer que você não tem absolutamente nada. Nós vamos viver muitos anos e as coisas vão melhorar, você vai ver.

– Alguma notícia da entrevista?

Meu Deus do céu. Nada me irrita tanto na Marina quanto essa falsa curiosidade em saber se fui bem na entrevista. Ela quer saber se eu vou ganhar dinheiro, mas não quer saber se a coisa foi bem. Ela quer que eu me foda.

– Vou lá buscar a Maria.

– Mas é cedo ainda. Você tá meia hora adiantado.

– Vou deixar você descansando, querida. Fecho a janela e as cortinas para você. Essa luz não faz bem para a sua cabeça.

Desço mais três lances de escada. O que fazer em meia hora? Penso em bater uma, mas não ia dar tempo, ia ficar tenso e demorar. Marina não me encosta há meses. Quando jantamos juntos com a Maria, ela diz para a nossa filha ter boas maneiras. Tudo o que ela pede para a Maria não fazer é o que eu faço. Ela tem nojo de tudo em mim. Não suporta meu hálito e outro dia brigou comigo porque, quando como, ela vê minha língua antes. Disse que pareço um lagarto e que isso dá repulsa nela. Que por isso não faz sexo comigo, pelo nojo das minhas péssimas maneiras. Eu nunca notei que eu fosse assim. Coloco o cotovelo na mesa e ela me olha atravessado lá da outra ponta da mesa que a gente vai precisar vender logo se eu não arrumar nada. Marina tem um ar desagradável quando me dá esporro. Me trata feito criança. Coitada, também tenho nojo dela. Só goza com oral. Não tenho paciência e o gosto e o cheiro que ela tinha, não tem mais. O sexo é sempre a mesma coisa: beijo ela no pescoço porque sei que tem nojo da minha boca. Ela finge que tá se excitando, faz uns sons exagerados e acha que eu gosto. Penso na atendente do café que eu frequento e fico de pau duro. Marina acha que é por causa dela, dos gemidos de horror dela. Beijo os peitos dela, mas penso na gostosa de esquerda do Facebook. Não demora já estou lá embaixo. Prefiro não demorar e acho bom ela gozar logo porque se ela não gozar, eu também não gozo porque ela se irrita. Faço a minha parte para ela fazer a dela. Quando acaba a gente finge que foi o melhor sexo em anos, ela corre para o banheiro, cospe a porra toda, arranha a garganta em som alto e escuto ela escovar os dentes, fazer gargarejo. Ela morre de nojo de mim.

— Amor, a Maria vai brincar na casa da Lúcia depois da escola. Não precisa mais ir, não. Tem que buscar ela só às seis, na casa da Lúcia, tá? E esse resultado desse exame que não vem. Ninguém liga do hospital...

Aproveito e vou tomar um banho, pensar na atendente do café, na mulher do Facebook, ser feliz por alguns segundos sem ter que aturar a Marina.

— Precisa de mais alguma coisa, querida? Se não, vou tomar um banho.

— A essa hora?

Eu finjo que não escuto a Marina a maior parte do tempo, mas ela tem a tendência a insistir numa resposta. Ela tenta colocar a culpa em mim por estar longe de casa, da família, diz que eu sou a família dela, que se sente sozinha e que tenho a obrigação de conversar com ela quando se sente deprimida. Eu estar deprimido nem passa pela cabeça dela. Eu, que tinha uma carreira próspera, um dinheiro guardado no banco, uma casinha na praia, férias duas vezes por ano, presentes.

Vendemos a casa de praia. Quase não saímos deste endereço. As cadeiras da mesa do jardim estão podres. Meus dentes e os dentes da Marina precisam de cuidado. Vão cair, um por um. A não ser que um de nós morra antes e fique com o dinheiro do seguro para arrumar os dentes, todos, um a um serão perdidos.

Do mesmo jeito que eu tenho receio em colocar veneno no chá da Marina, acho que ela tem medo de me envenenar com a comida. Mesmo assim, faz doce cremoso todo dia, cozinha bacon na manteiga para o meu café, faz cheeseburguer com batata frita, bolo de chocolate com recheio à tarde para tomar com café. Eu vou morrendo envenenado em conta gotas, a Maria vai engordando e os colegas da escola rindo dela.

Pedir o divórcio, já pedimos, mas como é possível nessa miséria dar conta de pagar dois apartamentos? Já me acabo para pagar um. A Marina parou de trabalhar num escritório quando ficou grávida da Maria. Tinha muito potencial, mas a gente não queria uma babá. O certo era ela, a mãe, cuidar da menina e a Marina quis isso também. Nunca impus nada. Agora, ela não arruma emprego em lugar nenhum porque já são quinze anos sem trabalhar em nada. Em quatro anos, a Maria vai sair de casa para estudar e aí, ficaremos eu e Marina. Prefiro morrer. Maria ainda dá um senso a essa casa. Separar da Marina ia dar um trabalho enorme: Maria ia se chatear, ela é muito sensível. Eu ia ter que pagar para as duas porque a inútil não faz nada. Aliás, ela diz que escreve. Porra nenhuma! Fica na internet o dia inteiro e diz que é pesquisa para a merda de romance que, eu sei, ninguém vai querer. Eu penso em morrer todo dia. Não consigo. Um covarde completo. Seria digno: deixava a casa e uma grana de seguro para as duas e acabava com essa tortura.

No banho, ao invés de pensar na atendente do café, me vêm na cabeça os sermões da Marina: você precisa achar algo que goste de fazer; só a arte vai te salvar; você precisa ter ambição; fica vendo TV durante o dia, que coisa mais deprimente; não me casei com você achando que fosse ter que contar moeda para ir comer um sanduíche na esquina; se soubesse que viraria essa miséria, teria ficado no Peru com a minha família; querido, quero que você vença na vida; já viu o carro novo dos vizinhos?; as minhas amigas vão comemorar o fim de ano e preciso colaborar com dinheiro, por favor; que merda de vida que não consigo nem sair com as amigas; Maria precisa de sapato; eu preciso de sapato; preciso de creme para o rosto; meu perfume acabou; já viu a casa que vão comprar os pais da amiga da Maria?; a gente precisa de uma viagem de férias para tentar espairecer, começar de novo.

– Abre a porta! Abre a porta! Abre!

Desliguei o chuveiro. A Marina berrando em choros na porta do banheiro.

– Já vou, querida, calma, tô vestindo uma roupa.

Ela uivava. Era o exame. Deve ter ouvido que vai morrer. É compreensível que se sinta desse jeito. Marina vai morrer. Coloco a roupa de qualquer jeito. Sinto uma adrenalina impressionante. Não sei o que sentir. Marina está com um tumor e vai morrer.

Destranco a porta do banheiro. Ela está deitada no chão, sem ar, uiva de dor e choro.

Eu me abaixo, encosto a cabeça dela no meu colo. Com muito custo, entre soluços, ela confirma a morte:

– Ela estava correndo com a amiga. Não viu o carro. O sinal estava verde.

# MAPAS PARA DESAPARECER
final

Como é vasto o corpo, qualquer corpo, o seu.

O sistema nervoso se espalha como pistas que deságuam em mapas largos de zonas de carinho e gozo. Como pode um corpo! Pontuado por fusos horários, alarga-se, dependendo da posição solar, as pupilas mudam de tamanho, a boca gera acúmulo de saliva, o sexo pulsa viável, desobstruído como uma porta emperrada que não se pode fechar.

O mínimo toque da extremidade cutânea gera eletricidade que acorda um tambor dentro da sua caixa torácica, debilitando a entrada e saída harmoniosa de ar dos pulmões, descontrolando a sua pigmentação facial e provocando a produção excessiva das glândulas sudoríparas.

É através desse mesmo corpo generoso em prazer e em paixão que se acomoda também o carinho quieto das noites chuvosas de sexta-feira. O encaixe das suas pernas em enlace matrimonial ou extraconjugal, aconchegadas as suas coxas entre joelhos alheios que ainda não sentem dor nem fazem calor demais.

Nesta geografia de um corpo em comum, alternam em cartografia o dia e a noite de toda a sua vida. No breu, raposas, morcegos e homens com palmas de mãos abertas procuram um corpo enfraquecido, qualquer um, o seu. Falanges, todas elas, distais, médias, próximas solidificadas por metacarpais enrijecidas desabam em fácies que também reagem em uma vermelhidão instantânea que passa a deformar definitivamente o aspecto do terreno do corpo, qualquer corpo, o seu corpo também. Enquanto a vermelhidão se abranda, lentamente arroxeando os seus poros, os canais lacrimais se abrem concomitantes à pressão da laringe comprimida, o cérebro passa a receber o alerta da destruição da superfície. É difícil ler um mapa em pontos que pegam fogo. Incêndios que atravessam um subsolo profundo perfurado por uma flecha da crosta até o núcleo da terra que é o seu imensíssimo corpo. Guarda-se lá dentro a luz e a sombra, dependendo da longitude, da latitude. Os vastos corpos, inclusive o seu, têm áreas para a abundância e para a aridez. Territórios travam lutas por fronteiras, as mesmas que antes nem existiam, quando fazia sol e quando faltava equilíbrio cardíaco. Abra as mãos. Dobre os dedos e as falanges irão encontrar carpais. Força! Assim nasceu o punho fechado. Você tem ódio de quem? A caixa torácica faz movimento desordenado como fez antes, mas na sua boca não há mais água, há espuma.

Ao percorrer o mapa, os passos se distanciam das sombras e do fogo porque nada está parado. Entra-se em território familiar. Uma trégua na rota. O seu corpo, que é qualquer um, novamente se amolece, espera o afago de mãos controladas em força sutil, apenas o suficiente para correr as pontas dos dedos entre os capilares provocando sonolência e satisfação.

Dez anos depois e há um novo mapa em suas mãos. Já não é possível encontrar a sua geografia antiga. O seu trajeto terminou e este é o ponto de partida e de chegada, aquele de onde você não vai mais sair. O seu corpo ainda existe potente e vasto, mas está seco. As suas pupilas estão paradas. Sua boca não tem sede. O coração quase para. Sua respiração é um fio sem qualquer rompante, sem caos nenhum. Você está presa no ínterim. Não é nem dia, nem noite, não é leste e nem oeste, você está no meio da cruz, o alvo, você não é ninguém. Seu corpo parou de reagir. Também não age. Você carrega o mapa que é o sistema nervoso, rotas de fugas por músculos doídos e latentes de tempo, ossada porosa, feliz aniversário! São anos a menos e não anos a mais. Saúde! No cérebro do seu núcleo, seu corpo e seu mapa estão apagados, e as linhas estão tão sumidas que você começa a desaparecer sem saber que direção tomar. Há hora para ser expulso do paraíso.

Dentro do seu país você flutua. Você é feita de vapor e não toca ninguém, mas você está ali, no ar pesado. Ninguém mais vê o seu corpo. Há bastante tempo que seu corpo vive uma seca, abrigo árido para vida nenhuma. Sem toque, sem gozo, sem um espasmo que seja. Não recebe luz, nem sombra. Veja como você parou no tempo, suspensa enquanto os corpos, todos menos o seu, caminham por mapas e rotas de norte a sul. Enquanto você sobrevoa dentro do ar pesado que te abriga, você é soprada para as últimas linhas do mapa do seu labirinto. Você teve um corpo que abriu mãos para receber e fechou mãos em punhos para se proteger. Você evapora e isso coincide com o seu esquecimento. As pessoas que habitaram seus mapas já não se lembram das suas feições, do seu cheiro. Nem mesmo a voz consegue resistir ao esquecimento. Seu corpo e a sua geografia vão ficando tão fracos e tão minúsculos que você é pura poeira.

Como se você não tivesse feito nada na vida a não ser traçar um mapa para desaparecer que foi satisfatoriamente percorrido. Tão inútil era aquela cartografia: para desaparecer basta ter amado vertiginosamente pessoas e países, basta um pouco de tempo e bastam os outros.

**Nara Vidal** é mineira de Guarani. Graduada em Letras pela UFRJ e Mestre em Artes pela London Met University. Autora de livros para crianças e adultos. É colunista, editora e tradutora. Seu primeiro romance foi um dos vencedores do Prêmio Oceanos 2019. Mora na Inglaterra desde 2001.

Este livro foi composto com as tipografias Sabon e Whitney, no estúdio
Entrelinha Design, impresso em papel lux cream 90g, em novembro de 2020.